Réunion
des Musées
Nationaux

MUSÉE DES BEAUX-ARTS DE NÎMES

Cet ouvrage a été réalisé sous l'égide de la Ville de Nîmes et a reçu le soutien du ministère de la Culture - Direction régionale des affaires culturelles du Languedoc-Roussillon

Les auteurs
A.C.   Alain Chevalier
M.D.   Marcel Destot
A.J.   Aleth Jourdan
G.T.   Guy Tosatto

En couverture
Elisabetta Sirani, *La Libéralité* (détail), vers 1657 (p. 42)

ISBN 2 7118 4096 4
GK 394096

SOMMAIRE

Guy Tosatto

Créé en 1823 sous l'impulsion du préfet Villiers du Terrage, dans un louable souci d'éducation du goût des élèves de l'école de Dessin, et installé dans la Maison Carrée, le musée des Beaux-Arts de Nîmes ne conservait à l'origine que quelques rares tableaux. Pour développer cette collection il fallut une politique volontariste d'acquisition et l'intelligence de savoir saisir d'heureuses opportunités comme, en 1827, l'achat de la collection du peintre beaucairois Jean Vignaud. Ainsi grâce à des acquisitions, grâce à des dons, des legs et des dépôts de l'État, l'enrichissement fut assez rapide et laissa vite apparaître l'inadaptation d'un local qui abritait également les collections d'archéologie. Aussi, lorsqu'en 1869 la ville reçut en legs la collection de l'anglais Robert Gower qui comptait plus de 400 objets d'art et peintures anciennes, la décision fut-elle prise d'installer le musée avec la Bibliothèque et l'école de Dessin dans un Palais des Arts qui occuperait l'emplacement de l'ancien Hôpital Général (l'actuel lycée Alphonse Daudet, boulevard Victor-Hugo). Les collections y furent transférées en 1880 mais, un an plus tard, à la faveur d'un renversement de la politique municipale, les locaux changèrent d'affectation au profit d'un lycée, et elles durent trouver refuge dans un bâtiment provisoire situé au square de la Mandragore, rue Cité-Foulc.
C'est à cet endroit que fut construit sur les plans de l'architecte nîmois Max Raphel, et grâce à la générosité d'Édouard Foulc, le musée actuel. Achevé en 1907, il reprend à une échelle plus modeste le parti architectural adopté quelques années plus tôt pour les musées des Beaux-Arts de Lille et de Nantes. Comme ces deux édifices, le musée de Nîmes comprend un atrium ou patio central entouré sur deux niveaux de galeries d'exposition avec un éclairage zénithal à l'étage supérieur. Il a été rénové en 1986 par l'architecte-designer Jean-Michel Wilmotte.
Le développement des collections d'art ancien du musée au cours du XXe siècle s'est poursuivi grâce notamment à de nombreux et importants dépôts du musée du Louvre, et au legs de Charles Tur qui, en 1948, vint conforter en particulier les écoles du Nord. En revanche, les options résolument provinciales de la politique d'acquisition en direction de l'art du temps ne permirent pas, à l'instar de nombreux autres musées au demeurant, de constituer une collection d'art moderne digne de ce nom. Enfin, dans les périodes plus récentes le musée des Beaux-Arts fut, comme tant d'autres institutions, tributaire des aléas de politiques culturelles changeantes, et, en dépit d'hommes de qualité ou simplement de bonne volonté, il manqua d'interlocuteurs convaincus et de défenseurs motivés. Aussi est-ce un événement non négligeable dans la vie du musée des Beaux-Arts que la parution de ce premier guide des collections. Car il s'agit bien d'une première qui permettra pour la première fois de son histoire de fixer une image précise, bien que non exhaustive, de la variété, de la richesse et de l'originalité de ses collections. On pourra ainsi admirer le très bel

ensemble de peintures italiennes, assurément la section la plus remarquable de la collection, représentatif de tous les grands centres artistiques de la péninsule, de Gênes à Naples, de Venise à Rome. Les Nordiques ne sont pas de reste. Beaucoup d'œuvres, de petit format certes, mais qui ménagent chacune un moment de grâce où, ici la virtuosité, là l'humour, là encore la poésie restituent l'esprit et la saveur de l'âge d'or des Flandres et des Pays-Bas. Enfin, l'art français est illustré par une suite d'œuvres de grande qualité qui, pour chaque siècle, donnent une place de choix à un artiste lié à Nîmes. C'est le cas de Reynaud Levieux pour le XVIIe siècle, dont le musée conserve un ensemble de tableaux de premier plan ; de Charles-Joseph Natoire pour le XVIIIe siècle, qui marque de sa présence l'atrium par trois très grands formats ; de Xavier Sigalon pour le XIXe siècle, qui est très bien représenté dans les collections, notamment avec son chef-d'œuvre Locuste. Ces grandes classifications ne suffisent pas à cerner complètement la collection. Au sein de ces familles se glissent parfois des intrus : deux espagnols (Yáñez et Llanos) chez les Italiens, trois Allemands (Bruyn le Vieux, Dietrich, Schütz) parmi les Hollandais et les Flamands. Ils illustrent, par leurs qualités propres comme par leur rareté dans les musées français, une partie des surprises que réserve la collection nîmoise.

Il m'est particulièrement agréable de voir la sortie de cet ouvrage accompagner une période marquée par un véritable renouveau du musée des Beaux-Arts. En effet, depuis trois ans maintenant, des moyens supplémentaires ont été donnés à l'institution pour permettre une relance progressive de ses activités d'exposition et d'animation, des crédits ont été dégagés, relayés par des aides de l'État, voire de mécènes privés pour l'indispensable restauration d'œuvres importantes, enfin, grâce au soutien du Fonds Régional d'Acquisition des Musées du Languedoc-Roussillon, deux très beaux tableaux ont pu être acquis dont un chef-d'œuvre de Leonaert Bramer.

En écrivant les dernières lignes de cette brève introduction, je ne peux que formuler le souhait que cette politique en faveur du musée des Beaux-Arts, qui renoue avec celle impulsée lors de sa fondation, soit poursuivie et amplifiée, et que ce guide constitue, en même temps qu'un outil pédagogique appréciable pour le public, le jalon décisif dans la prise de conscience par tous de l'intérêt majeur de cette collection.

Le Mariage d'Admète - DEUXIÈME MOITIÉ DU IIe SIÈCLE
5,94 x 8,80 M.

Cette magnifique mosaïque romaine est sans aucun doute la plus grande et la plus belle parmi celles trouvées à Nîmes. Elle fut découverte en 1883 lors de la construction des halles. Le panneau central représente Admète, roi des Phères, demandant à Pélias, roi d'Iolcos, la main de sa fille Alceste. Comme l'avait exigé Pélias, Admète vient chercher Alceste sur un char tiré par des animaux sauvages, un lion et un sanglier, rendus dociles grâce à Apollon. Autour de cette scène, quinze panneaux de forme carrée composent un ensemble décoratif d'une grande richesse et d'une plaisante diversité. Enfin, sur le bord supérieur de la mosaïque, se déploie une très belle frise formée de rinceaux d'acanthes et peuplée de léopards, d'un lion et d'oiseaux. La présence de la mosaïque au cœur du musée des Beaux-Arts, voulue dès la conception du bâtiment en 1907, est symptomatique de l'imaginaire des Nîmois très attachés aux origines romaines de leur cité. Elle s'inscrit aussi parfaitement dans la référence permanente des arts occidentaux à un âge d'or de l'Antiquité.   G.T.

PEINTURE ITALIENNE

Le Rédempteur et les douze apôtres - VERS 1410 - TEMPERA SUR BOIS
0,20 x 2,46 M. - DÉPÔT DU MUSÉE DU LOUVRE EN 1872 - IP 447

La prédelle à fond doré divisée en treize compartiments aujourd'hui conservée à Nîmes, devait décorer un autel d'une église napolitaine, peut-être même jusqu'à la fin du XVIIIe siècle. En effet, elle fut acquise sur place à un prix modique, en mai 1802, par le commissaire du gouvernement français pour les arts en Italie, Léon Dufourny, afin de développer la section des primitifs italiens du Musée national à Paris, autour d'une œuvre attribuée alors à Cimabue (vers 1240-après 1302). La prédelle est en définitive bien plus tardive que ce que pensait son acquéreur. Elle a été attribuée au Maître de Penna, un artiste travaillant à Naples à la fin du XIVe et au début du XVe siècle sous le nom duquel peuvent se regrouper plusieurs œuvres conservées en Italie du Sud, comme les *Histoires de la Passion* de l'église de Santa Maria della Consolazione (Calabre) et le tryptique de l'église Santa Monica (Naples). La présence des princes angevins à Naples depuis la seconde moitié du XIIIe siècle redonna à la ville une prééminence artistique très importante qui se concrétisa par le séjour au XIVe siècle de Giotto et Simone Martini, influençant considérablement les artistes locaux. Cependant, ainsi que l'atteste la prédelle de Nîmes, la manière siennoise fut prépondérante.   A.C.

Mariage mystique de sainte Catherine d'Alexandrie - VERS 1430 - TEMPERA SUR BOIS
1,27 x 0,72 M. - LEGS GOWER EN 1869 - IP 441

La restauration du panneau représentant le mariage mystique de sainte Catherine d'Alexandrie à l'occasion de l'exposition *De Giotto à Bellini*, en 1956, a modifié considérablement son apparence. C'est au XVI⁰ siècle que le tableau aurait été considérablement repeint, altérant les visages des trois personnages, changeant radicalement le fond et rajoutant quelques accessoires supplémentaires. Ce maquillage n'empêcha pourtant pas son attribution à Giambono en 1926, reprise et confirmée par la suite, l'un des plus remarquables artistes du gothique international finissant, retranché dans son art hiératique, alors que sous l'effet des premiers courants de la Renaissance, la scène picturale vénitienne se transformait radicalement. Malgré la difficulté à établir une chronologie précise de son œuvre, il est possible de dater le panneau autour du séjour de Giambono à Vérone au début des années 1430. Les palais qui figurent sur le décor que réalisa l'artiste en 1432 pour le monument funéraire des Sarego à l'église Santa Anastasia rappellent directement l'architecture complexe du dais qui surmonte le trône de la Vierge. A.C.

La Vierge et saint Jean-Baptiste adorant l'Enfant Jésus - SECONDE MOITIÉ DU XVᵉ SIÈCLE
HUILE SUR BOIS - D. 0,57 M. - LEGS GOWER EN 1869 - IP 435

Le jugement sévère porté au début du siècle sur ce charmant *tondo*, le qualifiant d'œuvre d'un faible suiveur tardif de Filippo Lippi, est peut-être légèrement excessif. Il s'agit de toute évidence d'un travail dans le goût du maître mais qui ne manque pas de saveur rustique par la naïveté même de son exécution. Les trois personnages dérivent d'un prototype de Filippo Lippi, *L'Adoration de l'Enfant*, tableau peint vers 1459 pour la chapelle du palais Médicis à Florence, aujourd'hui conservé à la Gëmaldegalerie de Berlin. On retrouve en effet la même position de la Vierge et de l'Enfant Jésus avec un doigt sur la bouche. Le jeune saint Jean-Baptiste a été rapproché, à genoux près de l'enfant, et le fond entièrement transformé avec, à droite, une crèche pittoresque et, à l'arrière, un paysage montagneux. Nous sommes loin évidemment de la douceur mystique que Lippi a si bien su rendre dans le tableau de Berlin, mais le tableau nîmois n'a pas non plus la médiocrité des productions commerciales des ateliers florentins de la seconde moitié du XVᵉ siècle qui imitaient sans vergogne les grands maîtres.   A.C.

La Vierge et l'Enfant Jésus entourés de deux anges - DERNIER QUART DU XVᵉ SIÈCLE
TEMPERA SUR BOIS - D. 0,86 M. - LEGS GOWER EN 1869 - IP 402

Identifié en 1927, ce *tondo* est l'œuvre la plus typique d'un artiste anonyme toscan de la fin du XVᵉ siècle dont les tableaux ont été regroupés par les historiens d'art du début du siècle tantôt sous le nom "d'Alunno di Benozzo", c'est-à-dire "élève de Benozzo Gozzoli", tantôt sous celui de "Maestro Esiguo", ce qui veut dire "exigu", soulignant l'aspect allongé de ses figures. Son style rappelle effectivement celui de Gozzoli (1422-1497) dont on retrouve la manière parfois sèche et mécanique, il porte aussi la marque d'influences ombriennes et siennoises. Maestro Esiguo est un artisan éclectique au style sec et au coloris acide qui donne, avec une raideur qui n'est pas toujours dénuée de charme, ce qui est le cas ici, une version provinciale des grandes créations florentines. L'aspect rustique et agréable de ce panneau sans prétention lui confère une évidence et une fraîcheur qui séduisent. A.C.

Vierge à l'Enfant et deux chérubins, dite *Madone Foulc* - VERS 1480
TERRE CUITE POLYCHROMÉE ET VERNISSÉE - D. 1,08 M. - LEGS FOULC EN 1916 - IP 1278

Edmond Foulc, un riche manufacturier nîmois né vers la fin de la Restauration, avait rassemblé dans la seconde moitié du XIXe siècle une impressionnante collection d'objets d'art du Moyen Âge et de la Renaissance. Elle était présentée dans une salle spécialement aménagée de son hôtel particulier construit vers 1880 en bordure des jardins du Trocadero à Paris (détruit). Ses héritiers vendirent en 1928 cette prestigieuse collection dont l'essentiel est aujourd'hui conservé au musée de Philadelphie. Cependant, à sa mort en 1916, le collectionneur, très lié avec Nîmes, avait légué quelques pièces à sa ville natale dont la fameuse *Madone Foulc*. D'après le catalogue qu'il avait lui-même établi, le *tondo* proviendrait du palais Strozzi à Florence. Il s'agit du modèle de référence pour une série de Vierge à l'Enfant et deux chérubins du même type d'Andrea della Robbia, dont on connaît plusieurs autres exemplaires (Florence, Londres, Washington et New York). *La Madone Foulc* a été reconnue très tôt, lorsqu'elle était encore entre les mains d'Edmond Foulc, comme l'exemplaire à la fois le plus ancien et le plus beau. Andrea della Robbia était le neveu de Lucca della Robbia (1399?-1482) qui mit au point la technique de la terre cuite polychromée et vernissée. Outre ses avantages pratiques et techniques (faible coût et résistance aux intempéries), ce procédé permettait de donner de l'éclat et de la couleur à la sculpture. La production des della Robbia connut un tel succès que leur atelier fut très florissant jusqu'à une époque avancée du XVIe siècle.   A.C.

ATELIER DE LORENZO DI CREDI - FLORENCE, VERS 1458-1537

Le Mariage mystique de sainte Catherine d'Alexandrie - PREMIÈRE MOITIÉ DU XVIᵉ SIÈCLE
HUILE SUR BOIS - D. 0,60 M. - LEGS GOWER EN 1869 - IP 256

Lorenzo di Credi, élève préféré de Verrochio et donc condisciple de Léonard de
Vinci, jouissait dans la Florence du début du XVIᵉ siècle d'une excellente réputation
bien qu'il n'égala en génie aucun des grands maîtres de l'époque. Les contemporains
et la critique moderne lui reprochent d'avoir affadi ce qu'il avait appris chez son
maître pour le transformer en métier répétitif et académique. Son atelier était
pourtant très fréquenté et participait à la réalisation des nombreuses commandes
qu'il recevait. Ainsi bon nombre de tableaux de piété, tel le présent panneau, portent
la marque de son influence directe sans qu'il soit très aisé d'identifier leur auteur. Le
tableau Gower, à quelques variantes près, reprend une *Vierge avec l'Enfant et le jeune
saint Jean-Baptiste* de Lorenzo di Credi conservée à la Galerie Borghèse à Rome.
L'influence de Léonard de Vinci est très perceptible dans le léger sfumato qui
adoucit le dessin incisif des visages et les glacis, ainsi que dans le paysage raffiné avec
une belle perspective aérienne qui occupe tout le fond de la composition. On
remarque à gauche saint François d'Assise recevant les stigmates et à droite saint
Jean-Baptiste enfant. L'absence de la virtuosité qui caractérise le travail de Lorenzo
di Credi indique bien que nous sommes en présence d'une œuvre d'atelier.   A.C.

Saint Côme et saint Damien (Yáñez) - Saint Paul et saint Pierre (Llanos)
APRÈS 1506 - HUILE SUR BOIS - D. 0,37 M. - LEGS GOWER EN 1869 - IP 257 ET 258

Ces deux *tondi* sont parvenus dans la collection avec un troisième représentant la Sainte Trinité par Yáñez. Ils devaient orner le retable d'un autel qui a été démembré et dont la provenance est totalement inconnue. Yáñez et Llanos peignirent en collaboration le grand autel de la cathédrale de Valencia de 1507 à 1510, illustrant la vie de la Vierge. Ce chef-d'œuvre fut longtemps attribué à des artistes italiens. Ce fut le cas aussi des *tondi* Gower qui furent considérés successivement comme des panneaux du Florentin Franciabigio, puis de l'école bolonaise. Cependant le rapprochement évident avec le retable de la cathédrale de Valencia, dont les vrais auteurs furent identifiés par les archives, a levé toute ambiguïté. Il est vrai aussi que Yáñez a travaillé en Italie au début du XVIᵉ siècle, assistant notamment Léonard de Vinci pour le carton de la *Bataille d'Anghiari.* Ainsi l'influence de Léonard est très perceptible dans le sourire du saint médecin de gauche. Côme et Damien étaient deux frères jumeaux médecins qui exerçaient gratuitement en Cilicie (Asie mineure), martyrisés en 287 sous Dioclétien. Il est donc normal de les voir représentés avec du matériel de médecine : le saint de gauche tient un flacon rempli de sang alors que celui de droite présente une lancette. Le *tondo* nîmois qui les représente reprend avec quelques légères variantes les deux grandes figures de Côme et Damien peintes en 1506 par Yáñez et Llanos pour le retable des saints médecins de la cathédrale de Valencia.   A.C.

BENVENUTO TISI, DIT IL GAROFALO - GAROFALO, PRÈS DE FERRARE, VERS 1476-1559

La Vierge et l'Enfant Jésus avec une sainte martyre - VERS 1500/1510 - HUILE SUR BOIS
0,32 x 0,26 M. - LEGS GOWER EN 1869 - IP 443

Œuvre de jeunesse se situant au tout début de sa carrière,
ce petit tableau d'oratoire témoigne bien de la formation
ferraraise de Garofalo sous l'influence d'Ercole de Roberti,
avant son voyage à Venise, vers 1510, où il découvrira l'art
de Giorgione. Cependant il semble déjà possible de relever
une influence vénitienne dans les nombreuses Vierge à
l'Enfant qu'il peignit avant son voyage sans doute, par l'intermédiaire d'œuvres de Giovanni Bellini (1430-1516)
qu'il aurait pu voir sur place. En effet, ce dernier était en
contact régulier avec la cour de Ferrare qui lui passa plusieurs commandes durant toute cette période. Ainsi les
modèles de Bellini pouvaient être connus de Garofalo
avant qu'il ne se rende à Venise. Par ailleurs, le tableau
frappe par le clacissisme de sa composition qui renvoie à
des modèles ombriens (Pérugin), certainement parvenus
par l'intermédiaire des peintres bolonais. Ferrare était à
cette période un carrefour artistique très important entre
Venise, Bologne et la Lombardie où les échanges entre les
artistes étaient intenses. Garofalo témoigne par cette
œuvre de sa perméabilité à ces différentes influences avant
de marquer dans un premier temps de sa carrière sa préfé-
rence pour Venise.   A.C.

La Flagellation du Christ - VERS 1527 - HUILE SUR BOIS
0,63 x 0,43 M. - LEGS GOWER EN 1869 - IP 474

La composition est très influencée par Raphaël que Garofalo fréquenta pendant son séjour à Rome en 1515/1516. Exécuté probablement vers 1527, le tableau ne tient absolument aucun compte des recherches de clair-obscur développées sur ce même thème dans l'atelier de Raphaël en 1520 (Giulio Romano ou Francesco Penni, Rome, église Santa Maria in Prassede). Garofalo adopte un ton suave et artificiel qui apparaît nettement dans le caractère légèrement féminin du Christ lequel tranche avec le réalisme des deux bourreaux, particulièrement celui de droite. Le coloris très raffiné participe aussi à cet effet, ainsi la pâleur du corps de Jésus presque marmoréen contraste-t-elle avec les habits aux tons variés des autres personnages.

Le tableau Gower est très proche d'une autre *Flagellation du Christ*, cintrée de la même manière et de dimensions sensiblement identiques, conservée à la Galerie Borghèse à Rome. Dans cet autre tableau peint aussi vers 1527, Garofalo insiste encore plus sur l'opposition entre l'effort des bourreaux et l'attitude résignée du Christ offert à la violence.   A.C.

La Vierge et l'Enfant avec saint Pierre et saint Paul - VERS 1537/1539
HUILE SUR BOIS - 1,18 x 1,18 M. - ACQUIS EN 1828 - IP 471

Le souvenir de Raphaël est omniprésent, aussi bien dans l'esprit que dans le détail de
ce tableau : la partie supérieure du trône rappelle directement le siège du portrait du
pape Jules II (1511/1512, Londres, National Gallery) et la pose de la Vierge celle de
la *Madone de Foligno* (1511/1512, Rome, Pinacothèque vaticane). Prospero Fontana
a acquis cette culture visuelle à Gênes auprès d'un des plus fameux élèves de Raphaël,
Perino del Vaga (1501-1547) qui, après le sac de Rome en 1527, s'était mis au service d'Andrea Doria. Prospero Fontana collabora avec lui au décor du palais Doria.
L'influence de Perino del Vaga lui-même se ressent nettement dans l'Enfant Jésus ou
dans la Vierge. Ainsi, le tableau date probablement de la fin du séjour génois de
Fontana vers 1537/1539, avant qu'il ne s'installe définitivement à Bologne et que sa
manière ne se transforme peu à peu. Il peindra cependant en 1540 un grand tableau
d'autel représentant la Vierge sur un trône avec des saints où l'on retrouve la même
figure de saint Paul, debout cette fois. A.C.

Allégorie du Gouvernement de la Fortune, dit aussi *La Calomnie d'Apelle*
APRÈS 1530 - HUILE SUR TOILE - 0,68 x 1,00 M. - LEGS GOWER EN 1869 - IP 445

D'Apelle, fameux peintre grec de la première moitié du IVᵉ siècle av. J.-C., aucune œuvre n'a subsisté si ce n'est une description par Lucien de Samosate (125-192) d'un de ses tableaux les plus fameux, *L'Allégorie de la Calomnie*, qui aurait été peinte pour stigmatiser l'accusation mensongère d'un peintre rival dont il avait été victime. À partir de ce texte, bien connu à la Renaissance, plusieurs peintres s'essayèrent à restituer ce tableau, comme Botticelli (1495, Florence, musée des Offices). D'après Lucien, un juge aux oreilles d'âne siégeait entre l'Ignorance et la Suspicion, devant lui s'avançait la Calomnie, précédée par l'Envie encouragée par la Haine et la Fourberie, elle traînait l'Innocence par les cheveux, puis venait la Pénitence et la Vérité. Le tableau comprend beaucoup d'autres personnages étrangers à Lucien, notamment la Fortune en haut au centre qui dispense aux uns le pouvoir et la richesse, et aux autres la captivité et la mort. En effet, l'auteur anonyme du tableau ne s'inspire pas directement du texte original, mais reprend une gravure d'après une peinture sur bois en grisaille du Mantouan Lorenzo Leonbruno (1489-1537), conservée à la Bréra à Milan et datée vers 1525/1530. Ce dernier avait intégré les personnages de la Calomnie dans une allégorie du Gouvernement de la Fortune pour "se garder des effets d'une Fortune contraire". L'idée de cette composition serait venue à Leonbruno par dépit à cause de sa perte d'influence à la cour des Gonzague après l'arrivée de Giulio Romano en 1527. A.C.

Sainte Famille avec le jeune saint Jean-Baptiste et sainte Catherine
VERS 1550/1560 - HUILE SUR BOIS - 1,020 x 1,165 M. - LEGS GOWER EN 1869 - IP 1806

Avant l'apparition en 1989, au moment de sa restauration, d'une belle signature
(*IOANNES CAPASSINI F. FACIEBAT*, en bas à gauche), ce tableau n'avait jamais été
exposé depuis son entrée au musée. Il vient désormais enrichir l'œuvre d'un artiste
toscan qui reste à redécouvrir, actif dans la vallée du Rhône dans le troisième quart
du XVIᵉ siècle : Giovanni Capassini. Le peintre avait échappé à l'oubli total grâce à
un triptyque récemment reconstitué, peint en 1555 pour le cardinal François de
Tournon, dont la scène principale est *La Résurrection du Christ* (Tournon, musée du
Rhône). Au cours de sa formation à Florence, Capassini fut fortement influencé par
Michel-Ange et surtout par Andrea del Sarto dont il fréquenta l'atelier. Puis, pen-
dant la période qui précéda son installation en France à la suite du cardinal de
Tournon au tournant du siècle, il travailla dans le goût de maniéristes toscans plus
tardifs comme Vasari. Bien que les figures féminines et les enfants de cette *Sainte
Famille* rappellent avec évidence le style de ce maître florentin, le support en noyer
suggère, en l'absence de toute chronologie, que ce panneau a plutôt été peint en
France. Les nombreux rapprochements qui peuvent être effectués avec les panneaux
du triptyque de Tournon, notamment en ce qui concerne le coloris et le rendu des
personnages, semblent confirmer cette hypothèse. Le panneau de Capassini, est
l'une des surprises révélées par l'étude de la collection de Robert Gower qui fit de
nombreuses acquisitions dans le Sud-Est de la France.   A.C.

Suzanne et les Vieillards - 1585 - HUILE SUR TOILE
0,85 x 1,25 M. - LEGS GOWER EN 1869 - IP 241

Suzanne et les Vieillards de Jacopo Bassano est sans nul doute le tableau le plus célèbre
de la collection du musée. L'attribution n'a jamais été démentie depuis sa découverte en 1928, de surcroît il est signé en bas à droite *J.B.f. 1585*. La scène représente
l'effroi de Suzanne dont l'intimité est violée par deux vieillards vicieux qui la mena-
cent. Gommant toute sensualité, Jacopo Bassano insiste sur le côté dramatique de cet
épisode en décrivant la jeune femme digne et farouche s'écartant brusquement sur le
côté pour échapper à la présence agressive des hommes qui la convoitent. Inspiré par
les dernières œuvres de Titien, l'artiste traduit parfaitement le caractère angoissant
et violent du récit par des ténèbres fantastiques que strient quelques rares touches de
couleurs vives. Ce chef-d'œuvre de la peinture vénitienne datant de la dernière
période d'activité de Jacopo Bassano évoque de façon singulière toute la dette de
Greco envers Venise et annonce le luminisme de Rembrandt.   A.C.

Mise au tombeau - PEU APRÈS 1578 - HUILE SUR TOILE
0,689 x 0,572 M. - LEGS GOWER EN 1869 - IP 2633

La *Mise au tombeau* de Lelio Orsi est incontestablement la redécouverte la plus spectaculaire de la collection Gower. Déposé dans un service municipal, le tableau fut récupéré par le musée au milieu des années 80 et identifié peu de temps après, juste à temps pour figurer à l'exposition monographique qui fêtait à Reggio Emilia le quadricentenaire de la mort de ce fascinant peintre émilien, un des protagonistes les plus étranges de la deuxième phase du maniérisme. Pourtant contemporain du Florentin Vasari, il se distingue des Toscans par une prédilection pour des compositions surprenantes, voire extravagantes, y compris dans ses sujets religieux. Dans la collection Gower, le tableau était attribué à Federico Barocci chez lequel l'influence de Corrège, dont Orsi passe pour avoir été l'élève, se retrouve aussi. En regard des œuvres tardives de Corrège, on peut mesurer à quel point Lelio Orsi l'admirait. On retrouve dans la *Mise au tombeau* de Nîmes le même intérêt pour la lumière, l'expression des sentiments, la recherche d'un coloris chaud et raffiné, et enfin ce goût si particulier pour une dynamique formelle instable. Ainsi cette œuvre très émouvante, pleine de poésie, apparaît comme un maillon indispensable de la période de la pleine maturité de l'artiste, c'est-à-dire peu après 1578, période pendant laquelle il peint surtout des tableaux de dimensions réduites avec de petits personnages à la ligne serpentine.   A.C.

La Multiplication des pains - VERS 1600/1605 - HUILE SUR TOILE
0,78 x 1,03 M. - ANCIEN FONDS DU MUSÉE, ACQUIS AVANT 1911 - IP 467

Il est incontestable que cette *Multiplication des pains* dont on ignore totalement la provenance ressort du courant maniériste qui a envahi toutes les écoles de peinture de l'Europe dans la seconde moitié du XVI siècle. L'affectation des attitudes, les déformations systématiques des figures, les jeux d'échelle, la superposition des personnages et l'étrangeté de la composition sont typiques de ce courant protéiforme qui fut balayé au début du XVII siècle par la réforme des Carrache et l'art novateur de Caravage. Tantôt rattaché à Venise, à l'école de Fontainebleau ou bien encore aux écoles nordiques ou d'Europe centrale, l'énigmatique tableau nîmois semble être plutôt une expression du maniérisme sicilien tardif, peu connu. En effet *La Multiplication des pains* présente de nombreuses affinités avec les œuvres du Palermitain Gaspare Bazzano dit Zoppo di Gangi, notamment avec un *Saint Dominique* peint vers 1603 (Palerme, église San Domenico). Les séjours napolitains, maltais et siciliens de Caravage entre 1607 et 1610 ne transformèrent pas aussi radicalement qu'on aurait pu le penser le style maniériste tardif si particulier à la capitale sicilienne.   A.C.

La Mort de Lucrèce - PREMIÈRE MOITIÉ DU XVIIᵉ SIÈCLE
HUILE SUR TOILE - 1,18 x 1,63 M. - LEGS GOWER EN 1869 - IP 1676

Le Christ et la Femme adultère - PREMIÈRE MOITIÉ DU XVIIᵉ SIÈCLE
HUILE SUR TOILE - 1,18 x 1,63 M. - LEGS GOWER EN 1869 - IP 1795

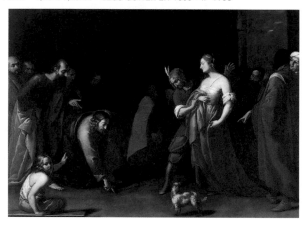

La mise en page scénographique, avec les grandes figures repoussoirs sur les côtés, ainsi que plusieurs personnages de ces deux tableaux évoquent directement l'école de Morazzone. Bien que de dimensions identiques et parvenues ensemble à Nîmes par le biais de la collection Gower, ce qui laisse penser qu'elles ont été conçues dans un même esprit, peut-être pour un ensemble décoratif démembré, les deux œuvres ne sont pas de la même main. *La Mort de Lucrèce* présente ainsi une qualité de facture, de coloris et de composition supérieure, et l'échelle des personnages est différente. La mise en regard d'une scène de l'histoire antique avec un épisode de l'Évangile devait correspondre à un programme particulier dont les motivations demeurent inconnues. Lucrèce violée par un fils de Tarquin se suicida en 510/509 av. J.-C. devant son mari et son père après leur avoir raconté les circonstances de son déshonneur. L'admiration des humanistes pour Lucrèce, dont la mort pouvait apparaître comme l'apologie du suicide face au déshonneur, était contraire aux principes de pardon et de salut enseignés par l'Église. Ainsi, la femme adultère consentante est sauvée d'une mort certaine par le Christ qui l'engage à se convertir. Le nom de Francesco Cairo (1607-1665) a été proposé pour *La Mort de Lucrèce* et celui de Giovanni Paolo Recchi (1600-1683) pour *Le Christ et la Femme adultère*, tous deux héritiers du style de Morazzone. A.C.

Le Massacre des Innocents - VERS 1600/1610 - HUILE SUR TOILE
1,15 x 1,67 M. - LEGS GOWER EN 1869 - IP 483

La peinture ferraraise avait vécu son âge d'or lorsque Scarsellino commença sa formation. Sentant bien qu'il fallait renouveler les modèles picturaux alors que Ferrare perdait peu à peu de son autorité intellectuelle et politique, il se tourna vers Venise où il se rendit vers 1570/1574, sans doute pour renouer avec les sources que Dosso Dossi, son illustre prédécesseur et modèle, s'était efforcé d'assimiler au début du XVIᵉ siècle. Il trouva ainsi auprès des œuvres de Véronèse de quoi nourrir son travail. C'est justement cette influence vénitienne qui domine dans *Le Massacre des Innocents* dont Scarsellino exécuta deux versions présentant de légères variantes, l'autre étant conservée à Rome au palais Barberini. Les deux œuvres ont été probablement exécutées dans la première décennie du XVIIᵉ siècle avant que Scarsellino ne soit séduit par les exemples du renouveau bolonais. A.C.

L'Annonciation - VERS 1616 - HUILE SUR TOILE
0,77 x 0,60 M. - LEGS GOWER EN 1869 - IP 396

Il existe plusieurs versions de cette composition, l'original étant le tableau sur cuivre de l'Ermitage à Saint-Pétersbourg, légèrement plus petit. Ce dernier a été peint pour le cardinal Alessandro Peretti Montalto vers 1616. Le tableau de Nîmes est sans doute la meilleure réplique connue à l'heure actuelle. Originaire de Parme, formé auprès des Carrache et par l'étude de Corrège, Lanfranco s'imposa à Rome dans les années 1620 comme le créateur de l'illusionnisme baroque, notamment avec la coupole de San Andrea della Valle en 1625. Miracles, extases, couronnements célestes devinrent le répertoire favori de l'artiste, alors que le succès de nouveaux peintres tels Guerchin, Pierre de Cortone, Poussin ou Sacchi freinait le développement de sa carrière. Cependant il trouva à Naples de vastes chantiers décoratifs à sa mesure où il exprima toute sa fougue. A.C.

La Mort de Dircé - DEUXIÈME QUART DU XVIIᵉ SIÈCLE - HUILE SUR TOILE - 1,910 x 2,663 M.
DÉPÔT EN 2000 DU MUSÉE DE LA RÉVOLUTION FRANÇAISE, CHÂTEAU DE VIZILLE - IP 2000-02

Ulysse et la magicienne Circé - DEUXIÈME QUART DU XVIIᵉ SIÈCLE - HUILE SUR TOILE
1,93 x 2,68 M. - DÉPÔT EN 2000 DU MUSÉE DE LA RÉVOLUTION FRANÇAISE, CHÂTEAU DE VIZILLE - IP 2000-03

Les deux grands tableaux déposés par le musée de la Révolution française pro-
viennent du fonds ancien du château de Vizille entièrement remeublé au début de
la Troisième République par Auguste Casimir-Périer (1811-1876) et sa femme.
Le premier représente le roi de Thèbes et sa femme Dircé qui furent tués par
Zethos et Amphion, issus des amours de Zeus et d'une princesse de Thèbes,
Antiope, qu'ils avaient traitée cruellement. Dircé connut la mort la plus affreuse :
ils l'attachèrent par les cheveux à la queue d'un taureau et jetèrent son corps dans
une fontaine. Le second raconte le fameux épisode de *L'Odyssée* où les compagnons d'Ulysse tombent sous les charmes de la magicienne Circé qui les transforme en animaux. Grâce aux conseils d'Hermès, Ulysse réussit à déjouer les pro-
jets de Circé. Ces deux grandes vues imaginaires avec des scènes de l'Antiquité
sont proches de l'œuvre d'Alessandro Salucci, considéré avec Viviano Codazzi
comme le prédécesseur de Pannini, où l'on retrouve les mêmes grandes scéno-
graphies dans une lumière dorée (*Vue d'un canal bordé d'architectures*, Amiens,
musée de Picardie). Les figures sont exécutées par un collaborateur qui est
souvent un artiste nordique séjournant à Rome, comme par exemple Jan Miel
(1599-1663).   A.C.

La Courtisane Rahab fait échapper de Jéricho les espions envoyés par Josué
VERS 1630 - HUILE SUR TOILE - 1,75 x 2,00 M. - LEGS GOWER EN 1869 - IP 416

Le tableau portait autrefois en haut à gauche un monogramme (*SV* ou *DV*), disparu depuis, et était attribué dans la collection Gower à l'école napolitaine avec laquelle il présente quelques affinités (le nom d'Agostino Beltrano a été évoqué mais sans conviction). C'est parmi les peintres florentins du XVIIᵉ siècle que l'artiste qui a exécuté ce tableau devrait plutôt se situer. Le sujet met en avant une héroïne biblique rarement représentée, la prostituée de Jéricho Rahab qui a accueilli et caché deux espions envoyés par Josué, d'où la scène au fond à gauche avec un soldat cherchant les deux hommes. Ceux-ci remettent à Rahab une cordelette écarlate qu'elle devra accrocher à la fenêtre de sa maison pour protéger tous les siens lors de la prise de la ville, action qu'elle montre par anticipation, car on voit effectivement en arrière-plan une maison avec le même signe de reconnaissance accroché à l'une des fenêtres. Cette grande composition était peut-être destinée à composer avec d'autres un cabinet consacré aux femmes célèbres, décor à la mode au XVIIᵉ siècle. Nous connaissons un exemple similaire en Toscane avec des tableaux d'un format semblable, peints entre 1623 et 1625 pour décorer la salle d'audience de la villa de Poggio Imperiale sur le thème des femmes de l'Antiquité célèbres pour leurs vertus morales et civiques : Sémiramide (Matteo Rosselli), Artémisia (Francesco Curradi), Massinissa et Sofonisba (Rutilio Manetti) et Lucrèce (Francesco Rustici). Ce tableau présente de nombreuses affinités – modelé des personnages, chromatisme, détail du petit chien – avec la *Sémiramide* de Matteo Rosselli (Florence, villa Petraia a Castello). A.C.

Sainte Famille avec saint Jean-Baptiste - VERS 1635/1640 - HUILE SUR TOILE
0,717 x 0,945 M. - LEGS GOWER EN 1869 - IP 436

"Les figures modelées en pleine pâte ont un moelleux et une rondeur qui captivent le regard." Les principales qualités picturales de la *Sainte Famille avec saint Jean-Baptiste* n'avaient pas échappé à un critique marseillais en 1861. Le tableau était alors anonyme et ce n'est qu'en 1979 qu'il fut reconnu comme une œuvre de jeunesse du Génois Anton Maria Vassalo, peinte vers 1635/1640, pendant sa formation dans l'atelier de Vincenzo Malò (Cambrai, vers 1600-Rome ?, vers 1650). Ce dernier, élève de Rubens et de Téniers, fut actif à Gênes de 1625 à 1630, puis de 1635 à 1645, accentuant ainsi la diffusion de la culture picturale flamande dans une ville déjà très marquée par les séjours de Rubens en 1605/1606 et de Van Dyck en 1621 et de 1623 à 1627. Imprégné des travaux de son maître, Vassalo reprend directement les figures de la Vierge et de saint Joseph de deux œuvres de Vincenzo Malò. Cependant, Vassalo parvient à faire de son tableau une composition personnelle qui se démarque de son maître par sa poésie. Le coloris saturé et très chaleureux de la robe rouge et du manteau bleu de la Vierge notamment, rappelle Van Dyck tandis que la facture très fluide confère à ce tableau une légèreté pastorale qui estompe la religiosité du sujet.   A.C.

Intérieur de cuisine
VERS 1635/1640 - HUILE SUR TOILE - 0,70 x 0,95 M. - LEGS GOWER EN 1869 - IP 407

Promenade dans un parc - VERS 1635/1640 - HUILE SUR TOILE
0,684 x 0,940 M. - LEGS GOWER EN 1869 - IP 1585

Intérieur de cuisine est une réplique avec variante d'une *Cuisine rustique* du musée des Offices à Florence. Les deux tableaux décoratifs de Nîmes en pendant constituent un jeu plaisant d'oppositions entre l'intérieur et l'extérieur, le populaire et l'aristocratique, la trivialité et l'élégance. Mais ce contraste n'est que formel. En effet, les deux compositions témoignent, sur des modes différents, de la culture flamande à la base de l'art de Vassalo dont la production est riche en scènes bucoliques avec de nombreux animaux, dans la mouvance de G.B. Castiglione (1611-1663/1665). La scène dans le parc est un écho lointain de la pompe décorative de van Dyck, avec chiens de chasse et animaux exotiques (singe et perroquet), alors que l'intérieur de cuisine donne lieu à une très pittoresque scène de genre qui par son traitement pictural est beaucoup plus convaincante que son pendant.   A.C.

Jésus au milieu des Docteurs - VERS 1640/1645 - HUILE SUR TOILE
1,35 x 1,20 M. - ACQUIS EN 1828 - IP 242

Le tableau de Preti est une des premières acquisitions majeures du musée dont l'attribution ne fut jamais remise en cause tant ses qualités picturales et le style de l'artiste sont évidents. Cette composition dont le sujet est plutôt rare chez Preti se situe au début de sa carrière à Rome, bien avant son retour à Naples en 1653 et son installation définitive à Malte en 1660. Formé à Naples dans l'ambiance caravagesque qui prédominait alors, Preti se rendit très tôt à Rome où il fréquenta les peintres français et nordiques travaillant dans ce même esprit. Souvent en voyage pendant cette période, en particulier en Vénétie et en Émilie, il se montra sensible à la peinture vénitienne du XVIᵉ siècle et à son riche coloris en se façonnant un style très personnel dont le *Jésus au milieu des Docteurs*, qui renvoie sans ambiguïté à l'œuvre de Caravage, est un parfait exemple. En une succession de plans alternativement sombres et clairs, l'éclairage latéral fait ressortir des taches de couleur dans l'uniformité de ton générale, comme le bonnet rouge à droite et le turban rayé à gauche, et confère à la composition une expressivité dramatique puissante. A.C.

La Mort d'Abel (?) - VERS 1630/1645 - HUILE SUR TOILE
1,00 x 1,35 M. - LEGS GOWER EN 1869 - IP 261

Le sujet de cet important tableau dont la matière picturale est malheureusement appauvrie, n'est pas bien déterminé. L'autel sur la gauche pourrait faire penser à un sacrifice d'Isaac, mais le corps au premier plan est plutôt celui d'un cadavre. Au fond de la composition le personnage central qui semble fuir pourrait être le meurtrier ; nous serions alors en présence de Caïn abandonnant le corps d'Abel, hypothèse qui semble la plus plausible. Le tableau a été régulièrement attribué à Castiglione, mais aussi à Andrea Sacchi, à Pietro Testa et enfin à Pier Francesco Mola. Tous ces artistes sont les principales figures, avec Poussin, du courant néo-vénitien, prépondérant à Rome à partir de 1630, au sein duquel se situe l'auteur de cette œuvre qui semble très proche de Testa (1611 ?-1650).   A.C.

Adoration des bergers - 1640/1650 - HUILE SUR TOILE
0,74 x 0,96 M. - LEGS GOWER EN 1869 - IP 482

L'*Adoration des bergers* est une réplique autographe du tableau du Kunsthistorisches Museum à Vienne. Cette composition fut probablement peinte pendant ou peu après le début de la carrière du peintre en Italie du Nord de 1633 à 1647, surtout à Venise où il fut très marqué par les œuvres de Jacopo Bassano. Le tableau est un bel exemple de la manière nordique de Mola. Il s'inspire des grandes scènes pastorales de Bassano, avec des réminiscences de Titien. Ainsi, les deux enfants au fond et au centre de la composition semblent venir tout droit de l'*Adoration des bergers* de Titien peinte vers 1533 (Florence, Palais Pitti). De même, il paraît tout à fait pertinent de rapprocher le tableau de Mola d'une scène identique peinte par Guerchin en 1627 pour la cathédrale de Plaisance qu'il a pu voir au cours de ses voyages. En 1647, Mola s'installa définitivement à Rome où il devint une figure dominante du courant néo-vénitien.   A.C.

Saint Paul apôtre - VERS 1645 - HUILE SUR TOILE
0,61 x 0,50 M. - ACQUIS ENTRE 1829 ET 1832 - IP 245

Une étiquette ancienne au dos du tableau signale qu'il provient de la collection réunie par le marquis de Montcalm (1775-1857) à Montpellier sans pour autant qu'il soit possible de le vérifier, étant donné le caractère très mouvant de la galerie de cet amateur. Considéré depuis son acquisition comme une œuvre de Ribera, il n'est plus possible aujourd'hui de maintenir une telle attribution bien que l'artiste qui travailla à cette figure se situe à l'évidence dans l'entourage du maître. Une autre version légèrement plus grande de ce tableau, signée et datée *Ribera 1645*, en provenance de la collection Freiherr von Halden de Florence s'est vendue à Vienne en 1967. Le tableau présente de beaux empâtements, éloignés cependant du rendu très fin des figures de saints de Ribera. Plusieurs noms ont été proposés : si celui de Pietro Novelli ne peut pas du tout convenir, en revanche, celui récemment avancé de Francesco Fracanzano (1612-vers 1656) paraît plus convaincant. Il est en effet, à la suite de Ribera, l'un des meilleurs représentants de la veine naturaliste d'origine caravagesque, construisant avec la lumière et une peinture très dense des figures d'une grande humanité. A.C.

FRANCESCO CAIRO - MILAN, 1607-1665

Exhortation de sainte Marthe à sainte Madeleine - VERS 1650/1655 - HUILE SUR TOILE
1,30 x 1,10 M. - ACQUIS EN 1827 (COLLECTION JEAN-VIGNAUD) - IP 243

Considéré autrefois comme une représentation de Judith et de sa suivante alors qu'elles s'apprêtent à tuer Holopherne, le sujet de ce tableau est
en fait une exhortation de la pieuse Marthe à Madeleine pour qu'elle se
convertisse en écoutant la parole du Christ. Absent des Écritures, cet épisode apocryphe figurait dans la représentation d'un mystère pour la fête
du Corpus Domini au XVIIᵉ siècle. Très proche par sa composition ner-
veuse et plusieurs détails, comme le froissement de la manche, de la
Judith décapitant Holopherne de Francesco Cairo (musée de Dunkerque),
datée entre 1648 et 1654 et du *Mariage mystique de sainte Catherine*
(Toulouse, musée des Augustins), le tableau fut sans aucun doute peint
dans les mêmes années par ce peintre lombard élève de Morazzone.
Comme souvent, Cairo conjugue une composition subtile et élégante
avec un luminisme d'inspiration caravagesque et un goût prononcé pour
la peinture vénitienne, très évident dans la facture et le coloris de ce
tableau. L'habile déclinaison de tons sombres, chauds pour Madeleine et
le décor, froids pour Marthe, met magnifiquement en valeur l'éclat des
carnations de la "pécheresse" et le scintillement de la lumière sur les
bijoux et la robe précieuse. A.C.

La Libéralité - VERS 1657 - HUILE SUR TOILE
1,35 x 0,95 M. - ACQUIS EN 1828 - IP 251

Elisabetta Sirani compte parmi les rares femmes peintres du XVIIe siècle qui réussirent à s'imposer par leur talent. Bologne, où se déroula sa brève carrière, était alors, à l'égal de Rome, un des premiers centres artistiques d'Italie. C'est sans doute pour une importante personnalité de Bologne qu'Elisabetta peignit *La Libéralité*, figure allégorique liée à la richesse et au pouvoir. La source iconographique en est l'illustration de ce thème dans le traité d'iconologie de Ripa que l'artiste a adaptée à un type de représentations très prisé à Bologne, depuis que Guido Reni les avait multipliées avec succès : les figures féminines à mi-corps. Elisabetta Sirani a développé ensuite la composition autour d'une belle forme serpentine oblique accrochant la lumière. Cependant, le frémissement qui anime le tableau résulte surtout de l'extraordinaire fluidité de la touche et de la richesse chromatique induite par le rendu des vêtements et des draperies. Elisabetta partageait les préoccupations picturales des artistes bolonais de sa génération : la recherche d'une synthèse entre la pureté des contours et la liberté de la touche. De la sorte, l'ovale du visage et son traitement porcelainé, légèrement froid, très différent de celui des autres parties du tableau, témoignent de l'idéal de beauté classique auquel se référait Elisabetta Sirani. Cependant, elle se montre en même temps sensible au colorisme vénitien et à celui de la peinture florentine du XVIIe siècle, auxquels elle associe habilement des effets de lumière, faisant de cette allégorie, quoique pétrie de convention, une splendide déclinaison picturale sur le thème de la forme et de la couleur. A.C.

Samson victorieux - VERS 1650/1660 - HUILE SUR TOILE
1,21 x 1,47 M. - LEGS GOWER EN 1869 - IP 343

Le naturalisme exacerbé de Langetti après son installation à Venise autour de 1650 marqua un changement du goût dans la cité des Doges qui ne s'était pas encore adonnée aux excès du caravagisme. Les nus musculeux à l'exécution fouettée et vigoureuse de Langetti furent visiblement appréciés puisqu'il en existe de nombreuses versions : *Darius* (musée de Castres), *Jonas* (musée de Bruxelles), *Le Bon Samaritain* (musée de Lyon), et trois versions de *Samson*, dont celle de Nîmes, une de ses œuvres les plus remarquables. Le cadrage serré du héros biblique et son éclairage dramatique mettent en évidence une musculature qui rappelle les œuvres de Luca Giordano (ancienne attribution du tableau de Nîmes) dont l'influence sur Langetti, avec celle de Ribera, fut profonde. La formation génoise de l'artiste transparaît dans le magnifique chromatisme des draperies rose et bleu foncé qui rehaussent la nudité du héros sur un fond sombre. La figure de Samson avait tout pour séduire l'inspiration de Langetti qui le représente coiffé de la peau d'un lion qu'il avait dépecé et pointant l'index vers la mâchoire de l'âne avec lequel il avait mis en déroute les Philistins que l'on aperçoit fuyant au fond dans la partie droite du tableau.   A.C.

Déjanire et le centaure Nessus - VERS 1672/1674 - HUILE SUR TOILE
2,05 x 2,50 M. - DON BLACHIER EN 1875 - IP 237 (photographie avant restauration)

Signé en bas à droite *Jordanus Fecit, Déjanire et le centaure Nessus* est la composition la plus ambitieuse sur ce thème traité à plusieurs reprises par l'artiste. Le centaure Nessus qui faisait le passeur sur un fleuve grossi par les eaux, prit sur sa croupe la femme d'Hercule, Déjanire, sous les yeux de son mari. L'affaire se termina mal car le centaure se mettant à malmener Déjanire, celle-ci appela et Hercule décocha une flèche mortelle à Nessus. Mais en mourant ce dernier transmit à Déjanire un charme qui causa la perte d'Hercule. Le masque sur le visage du putto fait probablement allusion aux mauvaises intentions du centaure. Tableau très proche du *Renaud et Armide découverts par les chevaliers* du musée des Beaux-Arts de Lyon, les deux œuvres sont datables du séjour vénitien de l'artiste, durant lequel il peignit vers 1674 *La Nativité de la Vierge* et *La Présentation de Marie au Temple* pour l'église de la Salute, deux grands tableaux d'autel qui firent sa célébrité. *Déjanire et le centaure Nessus* est donc un tableau situé au début de la maturité de Giordano, artiste napolitain prolixe et protéiforme dont la jeunesse fut marquée par d'innombrables hésitations sur la voie qui devait l'amener à la décoration baroque, veine dans laquelle s'inscrit parfaitement ce tableau. A.C.

Vieille Femme avec une tête de mort - ENTRE 1674 ET 1681 - HUILE SUR TOILE
0,90 x 0,70 M. - LEGS TUR EN 1948 - IP 1307

La *Vieille Femme avec une tête de mort* provenant de la collection Tur ne peut guère
laisser indifférent. Le spectateur est saisi par cette demi-figure de femme âgée aux
chairs amaigries, fripées et ridées, émergeant d'un tableau sombre par l'artifice d'un
éclairage sans concession. Bellotti situe cette figure au confluent du portrait (réalisme et présence du personnage), du tableau religieux (Marie Madeleine ou vieille
sainte ermite) et de l'allégorie (la Décrépitude ?). La petite fleur fanée que tient la
main de la vieille femme posée sur la tête de mort suggère plutôt ce dernier parti. Le
tableau date du séjour de l'artiste à Venise, entre 1674 et 1681. Rappelant à la fois
Ribera et Langetti, il est très caractéristique de l'artiste et conserve encore quelques
traits de sa période française, vers 1660/1661, à laquelle se rattache un *Astronome* vers
1661 (musée de Montargis). Bellotti fut en effet pendant quelque temps au service
du cardinal Mazarin et se montra notamment très sensible à l'œuvre de Georges de
la Tour qu'il copia. A.C.

Portrait de Paolo Gerolamo Franzone - 1687 - HUILE SUR TOILE
2,42 x 1,71 M. - LEGS GOWER EN 1869 - IP 363

Paolo Gerolamo Franzone (1619-1702) fut sénateur de la République de Gênes à plusieurs reprises, en 1664, 1675, 1680 et 1687. D'après l'âge du modèle, il semble que le tableau corresponde à cette dernière année, il aurait alors 68 ans. Si l'identité du personnage a pu être établie sans trop de problèmes grâce à l'inscription sur la lettre qu'il tient à la main et au costume qu'il porte (robe noire et barrette sénatoriale présentée par le serviteur noir), celle de l'auteur du portrait a été plus laborieuse. Considéré autrefois comme une œuvre de l'école espagnole du XVIIe siècle, puis successivement attribué à Giovanni Bernardo Carbone (1616-1683) et à Giovanni Maria delle Piane, dit Molinaretto (1660-1745) qui, sur la foi d'un inventaire après décès, serait l'auteur d'un portrait de P.G. Franzone en habit de sénateur, de récentes études sur Gio Enrico Vaymer ont permis de rendre définitivement la paternité du tableau à cet autre portraitiste génois moins célèbre, mais dont l'activité fut très importante dans la capitale ligure pendant toute la seconde moitié du XVIIe siècle. La confrontation avec d'autres portraits sûrs met en évidence des caractéristiques stylistiques identiques : draperie rouge, effets de lumière sur la robe noire, rendu des mains. L'aspect le plus remarquable de ce portrait d'apparat est sa scénographie : serviteur dont le costume rappelle les tableaux de van Dyck, tenture généreuse, vaste portique ouvert sur la perspective d'un jardin. De surcroît, l'intégration dans ce décor du modèle s'apprêtant à gravir un escalier permettait à Vaymer de mettre en valeur son habileté picturale qu'il avait mise au service de la meilleure société génoise.   A.C.

La Sainte Famillle servie par les anges pendant la fuite en Égypte - HUILE SUR TOILE
1,17 x 1,74 M. - LEGS GOWER EN 1869 - IP 1771

Après la mort de Bernin en 1680, Carlo Maratta (1625-1713), qui était déjà depuis 1670 le peintre le plus célèbre de l'école romaine, devint le chef de file incontesté de la scène artistique romaine. Son influence prédominante marqua considérablement la foule de ses élèves et suiveurs parmi lesquels se situe l'auteur de *La Sainte Famille servie par les anges pendant la fuite en Égypte*, tableau d'une belle exécution. Cependant dans ce cas précis, l'influence de Maratta, notamment dans la figure de la Vierge, est réinterprétée selon une ambiance picturale différente. Les fonds sombres avec des effets de clair-obscur, le très beau coloris avec des accords raffinés, la touche vibrante laissent deviner un artiste doté d'un beau tempérament pictural qui reste à découvrir dans l'abondance des peintres travaillant à Rome à la fin du XVIIᵉ siècle.   A.C.

Sainte Famille avec saint Jean-Baptiste - VERS 1700 - HUILE SUR TOILE
0,86 x 0,63 M. - LEGS GOWER EN 1869 - IP 489

L'œuvre de Guidobono, très influencée pourtant par Piola et
Castiglione, vient tempérer le lyrisme bouillonnant qui caractérise l'activité picturale génoise de la seconde moitié du XVII^c siècle, d'une
grâce et d'une élégance qui annoncent l'esprit du XVIII^c siècle. Les
principaux traits du style de Guidobono se retrouvent dans ce tableau
de dévotion plein d'émotion religieuse et de charme raffiné. Le traitement ingénieux des draperies gonflées, ondulées ou cassées selon les
matières est rehaussé par un chromatisme riche et onctueux.
L'éclairage latéral nuance délicatement la cascade pyramidale des
formes constituant le motif principal de la composition. Enfin, un léger
sfumato atténue la préciosité que confère la recherche savante de l'attitude des personnages. L'attribution ancienne de ce tableau à l'école
de Parme du XVI^c siècle avait le mérite de souligner la dette contrac-
tée par l'artiste envers l'art du Corrège. Les visages travaillés avec précision, la facture un peu maniérée malgré la volonté de dépouillement,
et la maîtrise totale des effets lumineux rattachent cette œuvre à la fin
de la deuxième période génoise de l'artiste, autour de 1700.   A.C.

Considéré longtemps comme une copie ancienne de la fameuse *Nuit de Corrège* (ou *Adoration des bergers*, 1530, musée de
Dresde), *L'Adoration des bergers* est incontestablement une
œuvre originale, proposée depuis sa redécouverte sous le nom
de Guidobono à défaut de pouvoir reconnaître indubitable-
ment son auteur, un peintre génois se situant dans son entourage. En effet, on sait que les peintures de Corrège ont considérablement influencé le style de Guidobono, et il est tentant
de relever dans ce petit tableau virtuose, d'une facture précieuse et d'un beau chromatisme, les principaux traits de sa
manière. De plus, comme la *Sainte Famille avec saint Jean-
Baptiste*, il provient également de la collection Gower.
Cependant, les effets de lumière très contrastés, le canon des
figures, le rendu des visages ne permettent pas de reconnaître
la main de Guidobono. Le nom du Génois Giovanni Battista
Resoaggi (1662-vers 1732) a été évoqué quelquefois. Même si
son auteur se situe parmi les nombreux artistes de second plan
qui contribuaient à l'intense activité picturale de Gênes, on ne
peut qu'admirer ce petit chef-d'œuvre de raffinement.   A.C.

Saint André - VERS 1708/1711 - TERRE CUITE
0,72 x 0,38 x 0,32 M. - LEGS GOWER EN 1869 - IP 94-01

Au début du XVIIIe siècle, le pape Clément XI commanda douze sculptures monu-
mentales destinées à occuper les niches prévues par Borromini pour orner chaque
pilastre de la nef de la basilique Saint-Jean-de-Latran (1708/1718). Quatre de ces
sculptures revinrent à Camillo Rusconi : saint André, saint Mathieu, saint Jacques et
saint Jean-Évangéliste. Ces statues colossales en marbre ont été copiées à de
nombreuses reprises et, dans les académies, ont même servi de modèles pour les
jeunes sculpteurs. Le problème est de pouvoir distinguer parmi toutes les statuettes
en terre cuite en rapport avec ces sculptures celles qui servirent à l'élaboration des
marbres colossaux. En pendant avec un saint Mathieu malheureusement très abîmé,
la qualité de la terre cuite de Nîmes permet de penser qu'il pourrait s'agir d'un
modello original en provenance de l'atelier de Rusconi. Le *Saint André* de Rusconi est
la dernière étape d'un modèle créé par Bernin (1598-1680) avec son *Saint Longin*
(1629/1638, Rome, Saint-Pierre), œuvre théâtrale et fastueuse, transposé dans une
version plus pathétique par Duquesnoy (1597-1643) avec le *Saint André* de la même
basilique Saint-Pierre (1629/1640). Soixante dix ans plus tard, Rusconi joue plutôt
sur le registre de la passion et du réalisme.   A.C.

Bernardo Tolomeï au milieu des victimes de la peste noire à Sienne en 1348
VERS 1735 - HUILE SUR TOILE - 0,43 x 0,67 M. - LEGS TUR EN 1948 - IP 1308

Entré dans les collections en 1948, sous une attribution à Pierre Subleyras, ce tableau était censé représenter un épisode de la peste à Marseille en 1720/1721. Sa provenance – la collection du Nîmois Tur – explique à la fois la dénomination et l'attribution régionale. En fait, il représente le moine bénédictin Bernardo Tolomeï (1272-1348) au milieu des victimes de la peste noire à Sienne en 1348, vêtu de la robe blanche de son ordre, tenant une croix dans sa main droite et attendant l'arrivée du Saint-Sacrement, précédé par un diacre muni d'un cierge et agitant une clochette. Bernardo Tolomeï sera lui-même victime de la terrible épidémie. Mis en relation avec l'œuvre de G.M. Crespi en 1971, ce petit tableau fait partie d'un groupe d'œuvres attribuées à l'atelier de Crespi dont il se détache nettement. Il est proche de la version originale conservée au Getty Museum à Los Angeles, peinte sur cuivre vers 1735, au moment où le culte de Bernardo Tolomeï se développait. L'œuvre fait partie des compositions religieuses tardives de l'artiste, sombres, au luminisme violent, empreintes d'un pathos dramatique et émouvant. La gamme de couleurs brune et chaude de Crespi atténue un peu le côté dramatique de la scène rendue cependant avec un certain naturalisme.   A.C.

Alexandre et Diogène – VERS 1730/1750 - HUILE SUR TOILE
0,97 x 1,35 M. - DÉPÔT DU MUSÉE DU LOUVRE EN 1961 - IP 1374

L'épisode évoque la fameuse rencontre entre le philosophe Diogène et le roi de
Macédoine Alexandre le Grand à Corinthe. Au roi qui lui demandait ce qu'il dési-
rait, Diogène, qui vivait comme un loqueteux dans un tonneau, aurait répondu :
"Que tu t'ôtes de mon soleil". Nullement vexé par cette réponse, Alexandre loua la
simplicité et l'honnêteté du philosophe. Le sujet peut être interprété de manière
moins nuancée, ce qui semble être le cas ici, puisque Diogène fait avec son bras un
geste ferme de refus, alors qu'Alexandre exprime sa surprise. Cette anecdote, racon-
tée entre autres par Plutarque, permettait d'organiser la composition autour d'un
audacieux effet de lumière laissant dans une ombre relative Diogène, mais aussi
Alexandre éclairé uniquement par l'arrière, alors que tout autour s'agitent les soldats
et la monture qui l'accompagnent. Le nom de Giovanni Battista Crosato (Trévise,
1697-Venise, 1758) a été récemment proposé pour l'attribution de cette œuvre anonyme dont le caractère vénitien ne fait pas de doute. Les effets de lumière très
contrastés, le chatoiement de la lumière sur le somptueux manteau d'Alexandre, la
fougue de la composition évoquent irrésistiblement l'univers de Giambattista
Piazzetta dont l'auteur anonyme de cette belle peinture semble proche.   A.C.

Caprice avec ruines - VERS 1740 - HUILE SUR TOILE
0,72 x 0,96 M. - LEGS GOWER EN 1869 - IP 390

Caprice avec un tempietto - VERS 1740 - HUILE SUR TOILE
0,72 x 0,96 M. - LEGS GOWER EN 1869 - IP 397

L'inventaire après décès de Gower donnait ces deux paysages d'agrément à un imitateur de Canaletto. Ils furent exposés à Nîmes seulement à partir du début du siècle et sans aucune attribution précise. Tous deux furent reconnus comme des œuvres caractéristiques de Michele Marieschi en 1971. Ce dernier est l'auteur de nombreuses vues de Venise où se devine l'influence directe de Canaletto. Cependant, ce sont ses fantaisies architecturales avec des palais ou des ruines antiques peuplées de personnages prestement enlevés qui constituent la partie la plus intéressante de son travail, laissant à penser qu'il commença sa carrière en tant que scénographe. À partir de morceaux d'architecture ou de sculpture connus, Marieschi recompose avec goût et poésie des paysages de pure fiction. Ainsi, le premier tableau avec la louve romaine au-dessus d'un sarcophage rappelle la Rome antique, alors que le tempietto du second fait référence à l'une des villas d'inspiration palladienne du fameux architecte vicentin Vincenzo Scamozzi. Les personnages, le plus souvent des paysans, parviennent à donner vie à ces compositions artificielles grâce au brio avec lequel ils sont peints, à la variété de leurs attitudes et à leur pittoresque. Le succès de ces caprices était tel que Marieschi en exécuta plusieurs versions.   A.C.

La Vierge remettant le rosaire à saint Dominique - VERS 1740/1750
HUILE SUR TOILE - 0,52 x 0,35 M. - LEGS TUR EN 1948 - IP 1391

L'attribution de ce *bozetto* à Sebastiano Conca en
1979 a été confirmée depuis à plusieurs reprises. Il
s'agit d'une première pensée ou d'une réduction
pour un tableau d'autel qui n'a pas encore été identifié ou qui a disparu. Conca fut le meilleur élève de
Solimena. Il travailla à Rome de 1707 à 1752 avant
de retourner à Naples. Bien qu'il s'adonna tout au
long de sa carrière à des œuvres historiques ambitieuses ou à des tableaux de chevalet pour les amateurs, l'essentiel de l'activité de Conca, aidé par un
important atelier, était tourné vers le décor de bâtiments religieux. Son œuvre se trouve en abondance à
Rome et dans le sud de l'Italie. L'iconographie très
répandue du saint patron des dominicains recevant
de la Vierge un chapelet, instrument de dévotion
mariale qui fit la force de cet ordre contre les héré-
sies, n'évoque aucune destination particulière pour le
grand tableau auquel l'esquisse de Nîmes correspon-
drait. Une *Vierge au rosaire avec saint Dominique, sainte Catherine de Sienne et Saint Jean-Baptiste* fut peinte
dans un esprit assez proche par Conca, en 1741, pour
la chapelle du Rosaire de la cathédrale de Velletri
(Musée diocesain, Latium).   A.C.

Prédication d'un apôtre - ENTRE 1740 ET 1750 - HUILE SUR TOILE
0,95 x 1,17 M. - DÉPÔT DU MUSÉE DU LOUVRE EN 1954 - IP 1371 (MNR 312)

La composition centrale de ce tableau dérive directement des *Ruines romaines avec les restes du temple de Vespasien, ou la prédication d'un apôtre* daté de 1739 et conservé à la Galerie de l'Académie de Saint-Luc à Rome. Pannini a repris maintes fois le thème de la prédication dans des ruines antiques comme l'atteste les *Ruines d'un édifice de style corinthien, ou prédication d'un apôtre* du Louvre, autrefois attribué à Hubert Robert, ou bien encore les *Ruines avec quinze figures* de la National Gallery d'Irlande. Plusieurs ruines de la Rome antique sont mêlées sur le tableau de Nîmes dans l'esprit des caprices architecturaux : basilique effondrée, obélisque, aqueduc. Deux grands vestiges de la Rome antique sont intégrés à la composition : le temple de Vesta à l'arrière-plan à droite tandis qu'au premier plan à gauche se détache un antique célèbre, le vase Médicis, conservé aux Offices depuis 1780, une sculpture grecque de la seconde moitié du premier siècle apr. J.-C. Avant son transfert à Florence, il pouvait être vu à la villa Médicis où il se trouvait depuis 1570 environ. Ce célèbre vase fut restauré après avoir été peint par Pannini, comme en témoigne le détail du bas-relief sur la panse, qui a été modifié. A.C.

PEINTURE NORDIQUE

Le Couronnement de la Vierge avec sainte Catherine et sainte Barbe
DÉBUT DU XVIᵉ SIÈCLE - HUILE TRANSPOSÉE SUR TOILE (PANNEAU CENTRAL)
HUILE SUR BOIS (PANNEAUX LATÉRAUX) - 1,10 x 1,30 M. - LEGS TUR EN 1948 - IP 1289

Au XVIᵉ siècle comme précédemment, les métiers, guildes et confréries, mais également les grandes familles considéraient comme un devoir sacré d'orner leurs chapelles et leurs autels dans les églises et les couvents de retables, statues, bannières...
À Bruges les tableaux qui ornaient les autels avaient tous la forme du triptyque, alors à la mode depuis plus d'un siècle : au centre, une scène tirée de l'enfance du Christ, de sa Passion ou bien de la vie de la Vierge ou des saints ; sur les volets, les donateurs agenouillés avec leurs Saints Patrons... Nombre d'œuvres, comme celle-ci, témoignent de l'intensité de la dévotion mariale, et la Glorification de la Vierge était à l'évidence un des sujets favoris des artistes brugeois dans la première moitié du XVIᵉ siècle. Peintre encore non identifié, le Maître du Saint-Sang appartenait sans doute au cercle d'élèves de Quentin Metsys. En effet, l'influence du peintre anversois paraît déterminante. On relève également des références au Maître de Francfort et des emprunts à Jan Gossaert et au peintre bruxellois Bernard van Orley à qui ce tableau était précédemment attribué. De fait, parmi les œuvres données au Maître du Saint-Sang on relève de notables différences stylistiques qui troublent encore la perception de l'artiste. L'avancement des recherches sur ce peintre devrait peu à peu clarifier notre connaissance de cet œuvre problématique. G.T.

Déploration sur le Christ mort - SECONDE MOITIÉ DU XVIᵉ SIÈCLE - HUILE SUR BOIS
0,43 x 0,35 M. - LEGS GOWER EN 1869 - IP 438

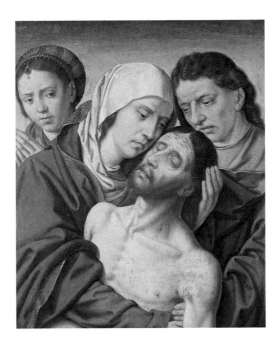

Peintre germanique, Bartholomäus Bruyn (dit "le Vieux" pour le distinguer de son
fils Bartholomäus "le Jeune", également peintre) a réalisé l'essentiel de sa carrière à
Cologne. Excellent portraitiste de la bourgeoisie de cette ville, Bruyn a également
réalisé des compositions religieuses. L'influence de quelques peintres flamands, tel
Joos van Cleve (vers 1484-1540) se fait nettement sentir dans ses peintures ; ce panneau fut d'ailleurs pressenti comme une œuvre de Cornelis van Cleve (1520-1567),
fils du précédent. Œuvre probablement destinée à la dévotion privée, cette scène de
Déploration étonne par une curieuse alliance de pathétique démonstratif et de dis-
tanciation affective, de tentation de naturalisme et d'expressionnisme appuyé, de
sobriété et de luxe décoratif. Ainsi, de grosses larmes perlent des yeux de saint Jean,
de ceux de la Vierge Marie tenant la tête de son fils mort et de ceux de Marie
Madeleine, à gauche de la composition. Seul le visage de saint Jean semble réelle-
ment bouleversé, presque tordu de douleur, tandis que les deux Marie – et notamment Marie Madeleine – ont des expressions bien plus neutres. Le torse du Christ
mort relève d'une belle étude anatomique ; les jeux d'ombre et de lumière "sculptent" efficacement les détails morphologiques de ce buste exsangue, et l'on notera la
finesse de l'observation dans le mouvement du biceps projeté vers l'avant, du fait de
la présence des mains de saint Jean et de Marie, qui se rejoignent sous l'aisselle du
Christ. Mais le peintre a tant voulu exprimer la souffrance résultant de la Passion que
le beau visage de ce dernier se voit étrangement coloré, au niveau des lèvres et des
paupières, de tons indéfinissables, entre le vert, le bleu et le violet. Les drapés enfin
ont quelque chose de systématique, dans leurs pliures comme dans l'évocation de
leur couleur et de leur matière, et le peintre semble vouloir nous faire oublier cette
exécution un peu rapide par la finesse de quelques détails : l'ondulation des cheve-
lures brillantes, la fine coiffe et le bijou frontal de Marie Madeleine, le liséré souple
et doré du manteau de la Vierge.   M.D.

Saint Luc peignant la Vierge - 1535/1540 - HUILE SUR BOIS
1,65 x 1,25 M. - (CINTRÉ DANS LA PARTIE SUPÉRIEURE) - LEGS GOWER EN 1869 - IP 1678

Pieter Coecke van Aelst apparaît comme une figure marquante de l'art flamand de la première moitié du XVIe siècle. Il fut en effet l'un de ceux qui introduisirent en Flandres les enseignements issus de la Renaissance italienne. À la mort de son beau-père Jan van Dornicke (alias le Maître de 1518), Pieter Coecke hérita d'un atelier important et très productif. Esprit curieux et inventif, il effectua un long séjour en Turquie en 1533, puis commença à publier des traductions en français et en flamand de cinq des huit *Livres d'Architecture* de l'architecte et théoricien italien Sebastiano Serlio (1475-1554). *Saint Luc peignant la Vierge* est à dater des années 1535/1540, donc de la maturité de l'artiste. Ce grand panneau s'inscrit partiellement dans une tradition iconographique flamande issue du siècle précédent, et l'on peut songer, par la disposition générale de la composition, à *La Vierge au Chancelier Rolin* de Jan van Eyck (Paris, musée du Louvre), ou encore au *Saint Luc dessinant la Vierge* de Rogier van der Weyden (musée de Boston). Mais les innovations apportées par Coecke l'emportent largement sur les éléments de fidélité à la tradition flamande. C'est en effet plutôt l'exemple italien de quelques maîtres contemporains de l'artiste qui vient ici à l'esprit, le groupe de la Vierge à l'Enfant évoquant notamment l'art de Raphaël. De même, la sobriété classicisante de l'architecture, aux lignes très pures et à la perspective rigoureuse, nous rappelle l'intérêt de Coecke pour Serlio. Cette architecture évoque à la fois un superbe palais profane mais également un atelier de peintre : derrière saint Luc, à gauche de la composition, un jeune homme est en train de broyer les couleurs à l'aide d'un mortier, évoquant la répartition des tâches entre maître et élève à l'époque. À proximité du peintre, entre les montants du chevalet, apparaît une tête de bœuf, symbole de saint Luc. À la rigueur toute géométrique du dallage en perspective et du plafond à caissons s'oppose l'ondulation frémissante des drapés de Luc et de Marie. Derrière celle-ci, à droite de la composition, se trouve une fenêtre devant laquelle est posée, bien en évidence, une pomme, fruit rappelant la mission christique. Enfin, à travers la large arcature centrale se déploie un paysage évoquant le siège d'une ville : un campement dont les tentes aux toits coniques semblent un souvenir rapporté par Coecke de Turquie, et, plus loin, un château médiéval, le tout évoquant une lutte entre chrétiens et musulmans. Saint Luc, selon la *Légende dorée* de Jacques de Voragine, fut non seulement le portraitiste de la Vierge, mais aussi celui qui prophétisa la victoire des chrétiens sur les Turcs.   M.D.

Vue intérieure de la cathédrale Notre-Dame à Anvers - PREMIÈRE MOITIÉ DU XVIIᵉ SIÈCLE
HUILE SUR TOILE - 0,58 x 0,65 M. - DÉPÔT DU MUSÉE DU LOUVRE EN 1895 - IP 286

Pieter I Neefs dit "le Vieux" ainsi que ses fils Pieter II ("le Jeune") et Lodewyck semblent s'être spécialisés dans la représentation de l'intérieur de la cathédrale Notre-
Dame à Anvers. Leurs tableaux sur ce motif sont en effet très nombreux, et l'on peut,
par exemple, comparer cette œuvre à une autre, du même peintre et sur le même
sujet, conservée au musée de Grenoble. Les variantes sont peu nombreuses d'une
peinture à l'autre, le point de vue choisi étant pratiquement le même. Mais cette
répétition est en elle-même intéressante, témoignant de l'amour certain des
Anversois pour leur cathédrale. Les intérieurs d'églises de Neefs s'inscrivent en effet
dans un contexte historique qui permet de mieux comprendre l'intérêt marqué pour
ce type d'iconographie : le 10 août 1566 commence à Steenvoorde la "crise icono-
claste" qui se poursuit à Anvers dans la nuit du 20 au 21 août puis se propage dans
nombre de villes des Pays-Bas du Sud et du Nord. Tableaux, sculptures, vitraux et
autres images disparaissent des édifices religieux. Cet iconoclasme se renouvelle sous
une autre forme en 1581 : le conseil communal calviniste d'Anvers fait enlever sys-
tématiquement les œuvres de tous les édifices publics de la ville. Les catholiques
espagnols investissent Anvers en 1584 ; le nouveau pouvoir se lance dès lors dans une
campagne sans précédent de sauvegarde, de restauration et de commandes d'œuvres
pour les églises. L'œuvre de Nîmes, à la facture fine et soignée, où la perspective de
l'architecture est soulignée par un jeu d'ombre et de lumière, est bien caractéristique
de la manière de Pieter Neefs le Vieux, manière un peu sèche et dont l'austérité
accentue l'aspect grandiose de ce vaste édifice. M.D.

Orphée aux enfers - VERS 1620 - HUILE SUR CUIVRE
0,365 x 0,545 M. - LEGS TUR EN 1948 - IP 1390

La famille Francken compte plus d'une dizaine de peintres, Frans II dit "le Jeune" ayant été le plus renommé et le plus productif de cette dynastie. Il réalisa surtout des tableaux d'histoire, peints généralement sur cuivre. Ses petites compositions, très décoratives, étaient destinées essentiellement à orner les cabinets d'amateur. Les figures de Francken ont encore une grâce maniériste, à une époque où triomphe pourtant le style baroque issu de Rubens. Le peintre utilise ainsi, pour cette belle composition à dater des années 1620, des procédés picturaux du siècle précédent : opposition très tranchée entre le premier plan et les différents autres plans, érotisme et pose théâtrale des personnages, perspective très accentuée évoquant l'immensité. Ces "archaïsmes", dont la poésie à la fois simple et lyrique s'enracine dans la grande tradition flamande, séduisaient l'importante clientèle du peintre. L'Orphée de Nîmes est à rapprocher d'une autre composition de Frans II Francken : *Le Pouvoir de l'Amour* (musée de Saint Gall). L'amour, ses beautés comme ses dangers, est un thème très prisé à cette époque. *Orphée aux enfers* s'inscrit pleinement dans cette thématique : le héros vient de perdre son épouse Eurydice, tuée par un serpent ; grâce au charme irrésistible de son chant, Orphée parvient à obtenir de Pluton et de Proserpine (couple présenté royalement, sous un dais suspendu) la libération de sa bien-aimée de l'Hadès (ou Tartare), le séjour des morts. M.D.

Portrait de F. Marcelliano de Barea, capucin - VERS 1630 - HUILE SUR BOIS
0,63 x 0,47 M. - ACQUIS EN 1826 - IP 297

Rubens fut incontestablement le chef de file de l'école flamande dans la première moitié du XVIIe siècle. Formé dans l'atelier d'Otto Venius, il séjourne en Italie de 1600 à 1608. À son retour en Flandres il s'installe à Anvers, et s'entoure dès lors de collaborateurs prestigieux : Antoon van Dyck, Jacob Jordaens, Bruegel de Velours, Frans Snyders... L'atelier de Rubens est alors assurément l'un des plus important d'Europe. Rubens, surtout à partir de 1626, fut également investi de nombreuses missions diplomatiques qui l'ont conduit notamment en France, en Espagne, en Angleterre et en Hollande. Marcelliano de Barea (Avila, 1601-1658) ainsi que son frère Eliodoro (†1660), tous deux capucins, furent étroitement mêlés à l'histoire politique flamande, à un moment où les Flandres étaient encore sous domination espagnole. Les deux frères ont séjourné aux Pays-Bas méridionaux, et renseignaient les autorités sur les agissements anti-espagnols d'une partie de la noblesse flamande. Rubens réalisa le portrait de chacun des deux frères (celui d'Eliodoro est conservé dans une collection new-yorkaise), probablement après 1630, au moment du séjour flamand des deux capucins. Les portraits exécutés par Rubens ne sont pas si nombreux dans les collections publiques françaises, et le musée des Beaux-Arts de Nîmes peut s'enorgueillir d'en posséder un très bel exemplaire. Marcelliano de Barea est représenté à mi-corps, dans une attitude presque hiératique tandis que Rubens a su capter l'énergie vitale du personnage. De la sévère et rugueuse toile de bure, grossièrement taillée et montée, émerge le visage encore jeune du capucin, dont les lèvres retiennent difficilement un franc sourire et dont les yeux pétillent de vie. Ce portrait, à la fois solennel et intime, est brillamment brossé d'une facture fluide et sûre par un Rubens en pleine possession de son art, encore tout émerveillé par le souvenir de la palette enchanteresse du Titien.   M.D

Tête de bœuf - DEUXIÈME QUART DU XVIIe SIÈCLE - HUILE SUR TOILE
0,86 x 0,59 M. - LEGS GOWER EN 1869 - IP 317

Asselijn fut dans un premier temps peintre de batailles puis, après un séjour en Italie
entre 1635 et 1642, paysagiste. Il séjourna également en France : à Lyon en 1644,
avant de travailler à Paris à la décoration de l'Hôtel Lambert en compagnie
d'Herman van Swanevelt, son compatriote. De retour à Amsterdam en 1647, il ne
réalisa quasiment plus que des paysages italianisants. S'il ne fut pas réputé d'abord
pour sa peinture animalière, Asselijn n'en demeure pas moins un virtuose du genre,
comme en témoigne son célèbre *Cygne menacé* du Rijksmuseum d'Amsterdam. La
Tête de bœuf, à rapprocher d'une *Tête de bœuf beuglant* conservée au musée de
Schwerin (Allemagne), est une belle démonstration de son talent dans ce genre
pictural. Du reste, dans ses paysages, les animaux n'apparaissent pas comme de
modestes motifs décoratifs ou pittoresques, simples sujets destinés à meubler une
composition, mais ont toujours une présence particulière, comme s'il s'agissait de
véritables portraits d'animaux, étudiés au plus près dans leurs anatomies comme dans
leurs comportements. En ce sens, Asselijn s'inscrit dans une tradition solidement
ancrée dès le XVIe siècle, à la fois aux Pays-Bas et en Allemagne : depuis les célèbres
dessins rehaussés d'aquarelle d'Albrecht Dürer, en passant par les paysages anima-
liers que Roelant Savery réalisa en Bohême pour Rodolphe II au début du XVIIe,
jusqu'aux études de Jacob Jordaens, la peinture nordique au sens large a accordé une
place importante au monde animal, témoignage d'un intérêt tout autant pictural que
zoologique et emblématique.   M.D.

L'Arracheur de dents - VERS 1630 - HUILE SUR TOILE
D. 0,37 M. - LEGS GOWER, 1869 - IP 366

Théodore Rombouts par la synthèse qu'il sut opérer entre peinture italienne et nordique, est à rapprocher d'un groupe de peintres flamands tels Cornelis de Vos, Gérard Seghers, Jan Miel ou encore Michael Sweerts. Entre 1616 et 1625, il visita l'Italie où il semble avoir été au service du grand duc de Toscane Cosme II de Médicis. Ses compositions montrent des musiciens, des joueurs de cartes ou de trictrac, des fumeurs et des chirurgiens de village. Rombouts apporta une importante contribution en greffant la tradition caravagesque sur le tronc des scènes de genre flamandes. Modeste par son format, ce petit *tondo* n'en demeure pas moins attachant par la qualité de l'exécution, la minutie dans l'évocation des détails et le traitement subtil de l'ombre et de la lumière évoquant tour à tour la violence du Caravage et les intérieurs rustiques flamands. Dans un espace à la fois sordide et inquiétant, entre arrière-salle d'estaminet et laboratoire d'alchimiste, une fenêtre haute laisse pénétrer un rai de lumière illuminant la scène principale. Un barbier chirurgien, aux allures de cambusier napolitain, "soigne" un jeune homme qui se tord de douleur ; l'expression de cette douleur vient surtout de la tenue débraillée du patient, tenue dont Rombouts affuble souvent ses personnages principaux : torse et cheville droite mis à nu, désordre vestimentaire apparaissant comme une métaphore du désordre psychique engendré par la conjugaison de la peur et de la souffrance. Et cette tenue vestimentaire rappelle aussi étrangement quelque rituel initiatique où l'impétrant doit "mourir à lui-même" pour se transformer intérieurement et renaître dans la lumière. Derrière le jeune patient se trouve un buffet encombré d'objets à la charge symbolique bien connue : crâne et vieux grimoires chiffonnés relevant directement du langage traditionnel des Vanités. Diamétralement opposé au crâne, un flacon traversé de lumière est posé sur le rebord de la fenêtre ; au pied du buffet, une cruche reçoit un grain de lumière. Crâne, flacon et cruche forment ainsi les trois extrémités d'un triangle lumineux, situé dans un plan parallèle à la surface du tableau, tandis que deux témoins de la scène, à peine visibles car situés dans la pénombre, forment une ligne transversale creusant efficacement une profondeur imaginaire. M.D.

Paysage boisé ; Bergers et Chasse au cerf - VERS 1630 - HUILE SUR TOILE
0,82 x 1,10 M. - ANCIEN FONDS DU MUSÉE, ACQUIS AVANT 1895 - IP 312

Ayant essentiellement travaillé à Anvers, Londres (où il fut pensionnaire de Charles
1er en 1639 en même temps que le peintre néerlandais Cornelis van Poelenburgh) et
Amsterdam où il s'installa à partir de 1643, Keirincx fut manifestement marqué par
l'exemple des paysages boisés de Gillis van Coninxloo (Anvers, 1544 Amsterdam,
1607), véritable précurseur du paysage baroque. De ce tableau, à dater probablement
des années 1630, se dégage une atmosphère étrange : cette œuvre, selon la tradition
flamande du genre, est à la fois foncièrement décorative, dans le même temps que s'y
exprime une vision inquiète et presque fantastique. La gamme colorée, dominée par
les tons froids, bleus, verts et argentés, est rehaussée par endroits de touches plus
chaleureuses de bruns et de dorés. Et toute la poésie de ce sous-bois est précisément
basée sur une série d'oppositions, de tensions et de contrastes entre le caractère
simultanément paisible et violent, accueillant et hostile de cet univers sylvestre. Les
personnages et leurs activités sont à cet égard emblématiques : au premier plan deux
bergers et une bergère conduisent tranquillement leurs vaches et leurs chèvres ; ils
sont situés sur un sentier dégagé et baignent dans une belle lumière blonde. Derrière
eux, dans le fond de la composition, se devine une chasse au cerf dans l'ombre des
sous-bois. La violence et la mort rôdent dans les profondeurs de la forêt tandis que
l'orée de ce même bois reste une aire de tranquillité, une zone de paix. Mais ce sentiment est à nouveau contredit par l'aspect crispé et tourmenté des arbres eux-
mêmes, aux troncs tordus, foudroyés, amputés, aux frondaisons à la fois luxuriantes
et déchiquetées qui ne laissent que bien peu de place au déploiement du ciel ; dès le
premier plan, cette forêt s'ouvre ainsi sur un rideau de scène dramatique, et ce cadre
naturel semble s'apaiser et s'ordonner à mesure que le regard s'éloigne vers les lointains, le peintre disposant ainsi la scène pastorale dans un décor tourmenté, et la
scène de chasse dans un environnement naturel plus serein.   M.D.

Les Adieux du Christ à sa mère - VERS 1630 - HUILE SUR CUIVRE
1,101 x 0,780 M. - LEGS GOWER EN 1869 - IP 425

Gérard Seghers fut admis à la guilde de Saint-Luc d'Anvers en 1608. Il séjourna à Rome puis à Naples entre 1611 et 1620, et fut alors fortement marqué par l'exemple de la peinture du Caravage. De retour à Anvers, Seghers ouvre un atelier florissant. Nommé peintre de cour par le prince cardinal Ferdinand en 1637, puis peintre de la cour du roi d'Espagne, il fit une carrière brillante et compte parmi les grandes figures de la peinture anversoise au temps de Rubens. Ce cuivre, à dater vers 1630, fut gravé par Jacobus Neeffs, gravure accompagnée d'un petit texte en latin donnant la signification de la scène : à la veille de sa Passion, le Christ fait ses adieux à sa mère qui semble à la fois s'incliner devant le destin inexorable et s'effondrer de chagrin. Les personnages sont représentés en frise sur un fond d'architectures et de paysage italianisants. Cette disposition, où le caractère grandiose des architectures s'accompagne d'une description minutieuse des plantes au premier plan, confère une indéniable monumentalité et dans le même temps une grande douceur à la composition, alliance de puissance et de grâce qui est la marque même de Seghers. Cette caractéristique se retrouve dans l'aspect physique des figures, et singulièrement dans celle du Christ, personnage immense mais délicat, à la gestuelle à la fois souple et assurée. M.D.

Joseph et ses frères – VERS 1633 - HUILE SUR BOIS
0,68 x 0,80 M. - LEGS GOWER EN 1869 - IP 304

Seule certitude concernant l'attribution de cette œuvre : nous avons affaire à un bon imitateur de la manière rembranesque, ce qui fut le cas d'Adriaen Verdoel, auquel était attribué le tableau, probable élève de Rembrandt vers 1640/1642 et qui collabora ensuite avec Leonaert Bramer. Mais les imitateurs de Rembrandt sont nombreux jusqu'au XVIIIe siècle, et le nom de Jacob de Wet fut également avancé à propos de ce panneau. L'inscription en bas à droite de l'œuvre, devenue pratiquement illisible, peut s'interpréter comme *J[acob] [de] W[et] f[ecit] A[nno] [1]633*. Dans ce cas, il s'agirait alors de Jacob de Wet dit "l'Ancien", né à Haarlem vers 1610 et mort après 1675, autre probable élève de Rembrandt une décennie avant Verdoel, vers 1630/1632. La scène évoque le moment précis où les frères de Joseph, qu'ils avaient vendu comme esclave, le supplient de libérer Benjamin, probablement figuré ici sous les traits du jeune serviteur tenant la traîne du lourd manteau. Du groupe des suppliants disposés en cercle se distingue au centre Juda qui propose à Joseph d'être réduit en esclavage à la place de Benjamin. Cet épisode sur le thème des retrouvailles et de la réconciliation fraternelles est donc traité à la manière de Rembrandt : goût prononcé pour l'expression du faste oriental (riches étoffes bordées de fourrure aux tons dominés par les ors rehaussés de quelques pointes de rose), fond relativement neutre, dans les gris-vert foncés pour la scène principale et dans une gamme de bruns pour les pièces adjacentes, tonalités assourdies qui mettent en relief les "coups de lumière" savamment portés pour accentuer théâtralité et efficacité dans l'expression picturale du drame biblique.   M.D.

Salomé recevant la tête de saint Jean-Baptiste - VERS 1635/1640 - HUILE SUR TOILE
0,787 x 1,054 M. - ACQUIS EN 1999 AVEC L'AIDE DU F.R.A.M. LANGUEDOC-ROUSSILLON - IP 99.01

Leonaert Bramer fut à Delft le plus célèbre artiste de la génération précédant
Vermeer. Sans doute influencé à ses débuts par Abraham Blœmaert, Bramer, comme
beaucoup de peintres de son époque, voyagea en Italie où il s'établit pendant 14 ans
(notamment à Rome). Il découvrit là le caravagisme et surtout ce qu'en faisaient ses
compatriotes. De retour à Delft en 1628, il va connaître un succès immédiat et rece-
voir aussi bien des commandes officielles pour des décors à fresque que se créer une
clientèle d'amateurs de tableaux. Oublié aux XVIIIᵉ et XIXᵉ siècles parce que son art
ne correspondait pas à l'image – très réaliste – que l'on se faisait de la peinture
hollandaise, il apparaît aujourd'hui comme un des peintres hollandais les plus origi-
naux de sa génération. Ce très beau tableau, acquis récemment, se trouve reproduit
en miniature dans une autre œuvre de la collection : *Scène galante* de Jacob Duck
(cf. page suivante) Dans ce contexte, il apparaît comme une mise en garde sévère
vis-à-vis de la perfidie des femmes.   G.T.

Scène galante - VERS 1635/1640 - HUILE SUR BOIS
0,40 x 0,68 M. - DÉPÔT DU MUSÉE DU LOUVRE EN 1957 - IP 1363

Duck, peintre d'Utrecht, s'était spécialisé dans la peinture de genre : courtisanes, sol-
datesque, joueurs de cartes, musiciens, mais aussi femmes du monde et intérieurs
bourgeois constituent l'essentiel de son répertoire. En ce sens, il est à rapprocher de
quelques autres artistes de son temps, tels Pieter Codde et Anthonie Palamedes,
peintres dit "de conversation", mais dont il accentue parfois le message à la fois gri-
vois et moralisateur. Tel est bien le cas dans cette *Scène galante*, à dater des années
1630, où une grande partie droite de la composition, s'étirant tout en largeur, est
réservée à l'expression de la débauche notoire : un homme ivre se fait chahuter et
déshabiller par deux jeunes femmes en somptueuses toilettes de satin rose et bleu. Un
jeune homme à droite, placé sous une carte géographique accrochée au mur, nous
regarde, l'air presque grave, et désigne l'ivrogne de sa main droite, comme pour en
dénoncer le comportement indigne. À l'extrême droite, tout un bric-à-brac
d'objets jonchent le sol : pichets et verres de vin, pipes, alcool et tabac dont la consom-
mation excessive a engendré la chute autant spirituelle que physique du libertin
débraillé. Notons également la présence d'une belle viole de gambe retenue par une
cordelette au mur, instrument de musique profane souvent associé au thème général
de la dégradation des mœurs. Trois tableaux sont accrochés au mur, ils ont pu être
identifiés : à gauche, une composition de Leonaert Bramer, une *Salomé* peinte vers
1635/1640, récemment acquise par le musée de Nîmes ; un paysage italianisant dont
le centre évoque la manière de Bartholomeus Breenbergh, puis, au centre de la composition, au-dessus des deux chaises, une *Danse* de Pieter Codde, très proche d'une
composition de cet artiste conservée au musée du Louvre.   M.D.

Ruines en Italie - ENTRE 1638 ET 1641 - HUILE SUR TOILE
0,585 x 0,500 M. - ACQUIS EN 1854 - IP 269

Jan Both est au nombre des peintres néerlandais qui ont été fascinés par les paysages italiens. Après une formation auprès d'Abraham Blœmaert (peintre qui ne semble pas du tout avoir influencé ni Jan ni son frère Andries) à Utrecht, Both séjourne à Rome entre 1638 et 1641, année de son retour dans sa ville natale. C'est de cette époque que datent ses paysages italianisants les plus aboutis, veine à laquelle appartient très vraisemblablement ce beau tableau. À gauche de la composition, au pied d'une ruine dressée verticalement à la façon d'une perche totémique, un groupe de cinq personnages, dont certains jouent aux cartes, est disposé en cercle. Sur un sentier à droite un homme chemine seul sur sa mule ; dans le fond d'autres silhouettes se détachent devant un paysage harmonieux où l'on distingue la mer et des barques de pêcheurs, une montagne et des tours médiévales massives. Les reflets roses des nuages, les tons blonds et dorés ainsi que l'étirement des ombres situent la scène à l'heure du crépuscule. À la fois italianisant et "ruiniste", Both témoigne ici de son goût pour l'évocation de l'immensité. Alliant le simple et le grandiose, le peintre crée une atmosphère singulière, irréelle et pourtant très crédible, à la façon d'un rêve, solennelle par ses architectures vénérables et populaire par ses figures, sublime et pittoresque dans le même temps, d'une sérénité arcadienne, d'où sourd une secrète inquiétude. Toute la nostalgie d'un Sud idéalisé et pourtant vécu au quotidien transparaît ainsi à travers ce souvenir de beauté atemporelle, rapporté sous les climats plus vifs et les paysages plus verts de la province d'Utrecht. M.D.

Jupiter et Mercure chez Philémon et Baucis - 1643 - HUILE SUR TOILE
0,785 x 1,030 M. - LEGS GOWER, 1869 - IP 1672

Pour ce beau tableau sur le thème de l'hospitalité de Philémon et Baucis (tiré des
Métamorphoses d'Ovide) trois peintres ont travaillé ensemble. La collaboration entre
artistes n'était pas un fait exceptionnel au XVIIe siècle, loin s'en faut, notamment aux
Pays-Bas. Par contre, il est plus rare de trouver une œuvre portant la signature des
différents artistes, et en ce sens ce panneau est un exemple fort intéressant. Mais
cette collaboration pose d'emblée la question de la conception générale de l'œuvre :
lequel des trois a décidé de l'organisation générale du tableau, de sa composition
d'ensemble ?
La partie gauche du panneau est de Gysbert Gillisz de Hondecoeter, spécialiste du
paysage qu'il agrémente souvent de petits animaux (ici une chèvre à gauche entre les
troncs d'arbre et un cygne blanc dans l'étang).
La conception de la grotte, traitée comme une architecture ouverte, est d'Abraham
van Cuylenborg, autre peintre utrechtois. La matérialité, la densité des éléments
sont ici plus tangibles que dans le paysage attenant. L'élément rocheux est traité en
un modelé très délicat, en une succession de clairs-obscurs, en camaïeux de bruns,
passant de l'ocre jaune aux tons dorés, de la boue à l'or.
Les personnages sont de Nicolaus Knüpfer, peintre d'origine allemande, qui s'établit
à Utrecht en 1630 pour ne plus en repartir. L'illustration de la fable antique et celle
de la Bible sont les deux pôles essentiels de son activité. Knüpfer a hérité de Leonaert
Bramer son goût pour les scènes fantastiques où des figures se détachent fortement
sur un fond très sombre ; nous ne sommes pas très loin de l'art de Rembrandt, avec
ses visions de pénombre et son esprit inquiet, dans le même temps que se lisent
quelques éléments propres au caravagisme maniériste de l'école d'Utrecht : Knüpfer
fréquenta d'ailleurs, à Utrecht en 1630, l'atelier du chef de file de ce maniérisme tardif, Abraham Blœmaert. M.D.

Vieillard et Fileuse – VERS 1645/1650 - HUILE SUR TOILE.
0,50 x 0,41 M. - LEGS GOWER EN 1869 - IP 391

La vie de Sweerts est ponctuée de nombreux séjours à
l'étranger : il est à Rome du milieu des années 1640 jusque
vers 1654 ; il dirige ensuite une école d'art à Bruxelles, se
retrouve à Amsterdam en 1661, puis, devenu profondément
religieux, se rend en France et, de Marseille, entre aux
Missions étrangères et s'embarque en qualité de frère lai en
janvier 1662. On le retrouve enfin chez les jésuites à Goa où
il meurt en 1664, âgé de tout juste quarante ans. *La Bonne
Aventure*, *L'Entremetteuse* : l'œuvre a porté ces deux titres,
mais il semble plus juste de leur préférer *Vieillard et Fileuse*,
titre proche d'un tableau de Sweerts conservé à la Galerie
Capitoline de Rome (*Mendiant et Fileuse*). Ce tableau de
Nîmes s'inscrit manifestement dans la période romaine de
l'artiste, époque où il est fortement marqué par le courant
réaliste des *Bamboccianti*. "Bamboche" (pantin) était le sur-
nom donné à Pieter van Laer, un artiste néerlandais qui
s'était fait une spécialité dans l'évocation des petites gens de
Rome, avec une humanité qui rendait sa dignité à ce peuple
des rues. De cette scène à deux personnages émane une gravité, presque une solennité qui tient à distance toute inter-
prétation ironique ou grivoise. La palette dominée par les
bruns et les couleurs chaudes, la facture fine et délicate, les
beaux effets de clair-obscur sont autant d'éléments qui rap-
prochent ce type de composition des meilleures œuvres des
frères Le Nain et de l'exemple du Caravage.   M.D.

Portrait d'homme - VERS 1650 - HUILE SUR TOILE
1,24 x 0,97 M. - LEGS TUR EN 1948 - IP 1420

Formé à Amsterdam auprès du portraitiste Nicolaes Eliasz dit Pickenoy, Bartholomeus van der Helst laisse apparaître dans ses premiers portraits une très nette influence de Rembrandt, laquelle s'estompera progressivement pour laisser place à un coloris plus clair et plus diversifié. Très apprécié de la haute bourgeoisie amstellodamoise, des familles ou des corporations lui commandent de très nombreux portraits individuels. S'ils rendent compte de la recherche réelle d'une certaine vérité du sujet, les portraits de groupe souffrent d'une mise en page conventionnelle et d'une manière un peu froide.

Ce n'est pas le cas de ce tableau, sans doute l'un des plus beaux portraits de la collection. La composition reprend la formule du portrait de gentilhomme mise au point par van Dyck entre 1620 et 1640, mais sa facture raffinée, la délicatesse du rendu des mains et des dentelles de la chemise, enfin la fidélité psychologique du visage non idéalisé témoignent de la grande qualité de cette œuvre.

Non signé, ce tableau n'est toutefois pas sans poser problème s'agissant de son attribution. En effet, plusieurs avis s'accordent pour attribuer cette œuvre à Sébastien Bourdon. De fait, il est tentant de rapprocher ce portrait de *L'Homme aux rubans noirs* du musée Fabre de Montpellier et du *Portrait d'homme* de l'Art Institute de Chicago : même mise en page dans la pose du modèle, même jeu de contrastes chromatiques entre l'habit et la chemise, enfin même intensité dans le rendu de l'expression.

Toutefois, une touche plus fine et plus précise, un souci plus poussé du détail, une matière plus homogène et plus lisse distinguent résolument cette peinture des portraits du grand peintre montpelliérain brossés de manière plus preste et plus elliptique.

G.T.

Nature morte de volailles et d'oiseaux - VERS LE MILIEU DU XVIIᵉ SIÈCLE - HUILE SUR TOILE
0,79 x 1,08 M. - ACQUIS AVANT 1910 - IP 302

Longtemps attribuée à J.-B. Weenix, cette étonnante nature morte de volatiles plumés est en définitive une œuvre de Carel Hardy dont la signature, révélée par une restauration, figure en bas à droite. Né à Valenciennes vers le milieu de la première moitié du XVIIᵉ siècle, Hardy est inscrit à la corporation des peintres de La Haye en 1651. Il semble s'être fait une spécialité des natures mortes d'animaux, puisque c'est le sujet des rares tableaux connus ou documentés de sa production (*Volailles* à Brunswick et *Nature morte au canard* à La Haye). Son travail est proche de celui de Jacob Biltius (1633-1681) qui peignait aussi à La Haye des natures mortes de gibier ou d'oiseaux morts. Le réalisme des volailles ou oiseaux plumés dont Hardy ne néglige aucun détail, confère au tableau une originalité incontestable d'autant que l'artiste fait preuve d'une virtuosité picturale remarquable. A.C.

Allégorie de l'Eau et de la Terre - MILIEU DU XVIIᵉ SIÈCLE - HUILE SUR TOILE
0,88 x 0,68 M. - ANCIEN FONDS DU MUSÉE, ACQUIS AVANT 1911 - IP 362

Après des études à Copenhague auprès de Martin van Steenwinkel, Keil se rend à Amsterdam en 1642 et poursuit sa formation auprès de Rembrandt jusqu'en 1644. Il quitte définitivement les Pays-Bas pour l'Italie en 1651. L'œuvre a pu être réalisée par un élève néerlandais de Keil (ou Keilhau), ce dernier ayant fait école à Amsterdam à la fin des années 1640. Ce jeune marchand de poissons et de légumes, présenté sur un fond de paysage urbain animé d'un canal, est très certainement une figure allégorique évoquant simultanément l'eau et la terre ; un second tableau devait donc présenter une double allégorie du feu et de l'air, selon un procédé assez fréquent au XVIIᵉ siècle. Réunissant plusieurs genres picturaux en une seule composition – allégorie des éléments, paysage urbain, nature morte aux poissons et légumes –, le tableau apparaît en fait d'abord comme un beau portrait d'enfant. Cette figure de Gavroche prestement saisie provoque en nous des sentiments contradictoires : le garçonnet est à la fois statufié par sa pose convenue et dans le même temps très alerte et bien vivant ; occupant les trois quarts de l'espace figuré, il respire la joie de vivre par ses yeux vifs et son sourire brillamment brossé, et affiche une pleine santé par ses joues roses et ses formes potelées. Sa tenue vestimentaire, haillons troués et chiffonnés, trahit cependant une certaine misère sociale. M.D.

Fête rustique – MILIEU DU XVIIᵉ SIÈCLE - HUILE SUR TOILE
1,05 x 1,46 M. - LEGS GOWER EN 1869 - IP 342

Jan Miense Molenaer, peintre d'Haarlem, avait épousé en 1636 une femme peintre, Judith Leyster (1609-1660) ; les couples de peintres sont fort rares, le métier étant presque exclusivement masculin ; Leyster et Molenaer ayant reçu le même enseignement auprès du même maître – Frans Hals –, pratiquaient tous deux essentiellement la scène de genre. Le tableau s'inscrit dans un registre pictural particulièrement développé à Haarlem vers le milieu du XVIIᵉ siècle : la scène de mœurs populaire, joyeuse "gueuserie" que l'on trouve également illustrée par toute une série de maîtres tels le Flamand Adriaen Brouwer (formé dans l'atelier de Frans Hals à Haarlem), Adriaen van Ostade ou encore Jan Steen. On chante, on rit, on fume, on boit, on danse, on s'embrasse… Austérité et Puritanisme n'ont manifestement pas été invités. M.D.

Nature morte au verre - SECONDE MOITIÉ DU XVIIe SIÈCLE - HUILE SUR CUIVRE
0,45 x 0,36 M. - ACQUIS EN 1827 - IP 277

Les de Heem forment une famille de peintres néerlandais, tous spécialisés dans la nature morte, dont on recense au moins six membres, de David I (1570-1639) à David Cornelisz (1663-1718). Les plus célèbres sont Jan Davidsz (1606-1684) et Cornelis, l'auteur de cette nature morte. Ce tableau apparaît comme une belle démonstration du talent du peintre. La composition s'organise autour d'un *römer*, somptueuse coupe verte, généralement réservée aux vins du Rhin, dont le pied est couvert de pastilles en forme de baies, et la base pourvue d'un anneau tressé. Le *römer* est à moitié empli de vin blanc, permettant à l'artiste d'exercer sa virtuosité dans l'évocation des reflets et de la transparence du contenant comme du contenu. À droite de la coupe, deux huîtres ouvertes présentent l'éclat nacré de leur coquille et l'aspect mat et laiteux de leur corps mou. Un sarment de vigne garni de ses feuilles humides couronne le tout dans un équilibre assez improbable. Le citron pelé et le magnifique manche à damiers d'un couteau, à gauche du *römer*, apparaissent tous deux comme des figures de style imposées dans ce type de composition. À l'aspect grumeleux et à la forme spiralée de la pelure de citron s'oppose le caractère lisse et rectiligne du manche. Notons que tous ces éléments dépassent légèrement du rebord de la table, procédé très classique pour évoquer la notion de profondeur de l'espace ; le clou – muni de son ombre – fiché dans le mur de l'alcôve joue ce même rôle d'indicateur spatial. Le bleu du tissu, savamment plissé, magnifie les couleurs et l'éclat de cette nature morte, tandis que son aspect doux et soyeux contraste avec la rugosité ligneuse du bois de la table.   M.D.

Ermite en prière - MILIEU DU XVIIᵉ SIÈCLE - HUILE SUR BOIS
0,540 x 0,405 M. - LEGS GOWER EN 1869 - IP 339

La belle harmonie colorée, dominée par les tons
chauds, ocres et bruns, situe cette œuvre dans le sillage
de l'école de Leyde de la première moitié du XVIIᵉ
siècle. Depuis son acquisition, ce panneau est attribué à
un suiveur de Gerrit Dou (Leyde, 1613-1675). Le nom
de Pieter Leermans (1655-1706) fut avancé, puis celui,
plus probable, de Staveren, peintre leydois qui fut élève
et fidèle imitateur de Gerrit Dou. L'œuvre dérive en
effet assez directement de quelques prototypes conçus
par Dou sur le thème de l'ermite en prière, souvent un
saint Jérôme présenté dans un cadre architectural très
particulier – entre la caverne platonicienne ponctuée de
formes totémiques, la ruine antique et les catacombes
paléochrétiennes – pourvu d'arcades, parsemé de motifs
spirituels et baignant dans un clair-obscur hérité de
Rembrandt (Gerrit Dou fut l'un de ses élèves à Leyde).
Cette architecture troglodytique, cet intérieur "philosophique" dont la paternité première remonte
d'ailleurs à Rembrandt, apparaît comme une métaphore de l'introspection, du dénuement et du recueillement
dont l'ermite est la figure emblématique.   M.D.

Intérieur de la Nouvelle Église de Delft - 1656 - HUILE SUR BOIS
0,83 x 0,69 M. - LEGS GOWER EN 1869 - IP 359

Hendrick Cornelisz van der Vliet fut élève d'abord de son oncle Willem puis du portraitiste Michiel Jansz van Miereveld. Il exécuta quelques portraits, mais réalisa surtout des représentations d'églises de Delft, essentiellement la Nieuwe Kerk (nouvelle église) et la Oude Kerk (ancienne église). Vliet s'inscrit ainsi dans une lignée de peintres néerlandais spécialisés, à partir des années 1630, dans les vues d'églises, depuis Pieter Jansz Saenredam, en passant par Gerritt Houckgeest et Emmanuel de Witte. Dans ce panneau, on peut reconnaître l'intérieur à la fois majestueux et austère de la Nouvelle Église de Delft : voûte en bois de la nef principale, hautes colonnes à base surélevée et se terminant par un chapiteau finement ouvragé dont l'abaque sommital est octogonal, sol carrelé en damier. Vliet représente le dégagement d'une sépulture anonyme : un fossoyeur, à demi engagé dans une ancienne tombe, en a extrait deux crânes et quelques ossements ; les autres personnages situés dans la nef semblent indifférents à cette scène, à l'exception du vieil homme barbu vêtu de noir qui regarde avec insistance les ossements. Ces figures paraissent choisies pour leur représentativité sociale et symbolique : le vieillard et le jeune homme dans le fond, un couple accompagné d'un petit chien à droite, un autre couple et quatre enfants à gauche. Le lieu de culte réunit ainsi tous les âges et toutes les conditions sociales, de l'humble fossoyeur au riche bourgeois, du nourrisson au vieillard. Ce microcosme humain – habilement disposé afin de rappeler la forme générale de la nef – gravite ainsi autour de la tombe béante, symbole assurément de notre fin dernière et de l'universalité de celle-ci. L'étonnante et très belle vibration lumineuse dédramatise et apaise cette scène macabre : la mort n'est qu'un passage nécessaire pour accéder à la lumière divine.   M.D.

Une barque à l'ancre - VERS 1656/1657 - HUILE SUR TOILE
0,53 x 0,58 M. - DÉPÔT DU MUSÉE DU LOUVRE EN 1896 - IP 287

Adam Pijnacker, avec Berchem, Asselijn, Jan Both, Karel Dujardin et quelques autres encore, fait partie des paysagistes néerlandais de la seconde moitié du XVII⁰ siècle qui furent fascinés par l'Italie. Ce tableau, à dater vers 1655/1657, est assez caractéristique de la poésie très singulière émanant des paysages italianisants de Pijnacker. L'éclairage quasi surnaturel confère à des scènes en somme très ordinaires, issues du quotidien, une étrangeté et une présence proches du fantastique. La belle et chaude clarté d'un Sud presque mythique enveloppe toutes choses et en révèle l'intimité. C'est peut-être là que réside le mystérieux charme paradoxal des tableaux du peintre : il nous immerge dans un univers qui semble tangible tant il est détaillé, tout en nous conduisant dans un monde essentiellement onirique. Par sa poésie du presque rien magnifié par une lumière enveloppante, Pijnacker est assez proche de Vermeer de Delft. À la quiétude des scènes d'intérieur de ce dernier semble correspondre la sérénité des larges vues de Pijnacker. Et ses paysages, pour vastes qu'ils soient, apparaissent en définitive comme des microcosmes captant l'ample respiration du monde.   M.D.

Paysage avec figures et animaux - 1660 - HUILE SUR BOIS
0,355 x 0,410 M. - LEGS GOWER EN 1869 - IP 316

Nicolas Berchem était le fils d'un célèbre peintre de natures mortes : Pieter Claesz, surnommé Berchem. Curieusement, Pieter Claesz, pourtant fort célèbre de son vivant pour ses natures mortes à la fois raffinées et austères, ne semble pas du tout avoir influencé son fils, Nicolas ayant été avant tout paysagiste. Il fut par contre fortement marqué par l'exemple de la peinture de Pieter van Laer, le plus célèbre des artistes revenus à Haarlem à la fin des années 1630, après un long séjour en Italie ; Berchem se rendit probablement à son tour dans ce pays, peut-être dans les années 1651/1653. Le thème de la pastorale dans un paysage méridional constitue la majeure partie de l'œuvre extrêmement abondant de l'artiste. Dans ses tableaux, Berchem, à l'exemple des peintres Jan Both et Jan Asselijn, accentue parfois le côté grandiose du spectacle naturel (*Paysage à la tour*, 1656, Amsterdam, Rijksmuseum) ; bergers et troupeaux semblent alors minuscules, leurs proportions réduites donnant a contrario la mesure de l'ampleur de la nature. À ces paysages dominés par l'évocation du sentiment du sublime répondent des pastorales plus simples, dans lesquelles l'accent est porté sur l'aspect pittoresque de la scène ; l'œuvre appartient manifestement à cette seconde veine. Ainsi, avec un registre formel en somme plutôt réduit (eau, arbres, collines, bergers, animaux, architectures), Berchem parvient-il à une étonnante diversité dans ses compositions. M.D.

Tobie et l'Ange - 1660 - HUILE SUR BOIS
0,495 x 0,370 M. - LEGS GOWER EN 1869 - IP 199

La famille Fabritius compte plusieurs artistes : le père, Pieter Carelsz dit Fabritius, qui fut maître d'école et peintre, et ses trois fils, Carel, Barent et Johannes. Carel (1622-1654) est le plus célèbre ; on lui doit notamment le fameux *Chardonneret* conservé au Mauritshuis de La Haye. Vers 1642, Carel Fabritius devint l'un des nombreux élèves de Rembrandt à Amsterdam, et c'est probablement par le biais de Carel que cette manière rembranesque influença Barent, auteur de ce tableau. L'œuvre est fidèle au récit biblique comme à l'iconographie traditionnelle de ce thème : le vieux Tobit confie une mission à son fils Tobias (Tobie), lui demandant d'aller récupérer la somme de "dix talents d'argent chez Gabaël, le frère de Gabri, à Rhagès de Médie". Tobie cherche un compagnon pour se rendre en Médie : "Dehors il trouva l'ange Raphaël debout devant lui, mais il ne se douta pas que c'était un ange de Dieu". Raphaël accepte d'accompagner Tobie : "Le garçon partit, et l'ange avec lui ; le chien aussi partit avec lui et les accompagna. Quand arriva la première nuit, ils campèrent au bord du Tigre. Le garçon descendit se laver les pieds dans le Tigre. Alors un gros poisson sauta hors de l'eau et voulut lui avaler le pied. Le garçon cria. L'ange lui dit : 'Attrape-le et maîtrise-le !' Le garçon se rendit maître du poisson et le tira à terre". Les abats du poisson serviront ensuite à guérir la cécité du vieux Tobit, comme l'enseigne Raphaël au jeune garçon : "Quant au fiel, tu en enduis les yeux de celui qui a des leucomes, tu souffles sur les leucomes et ils guérissent". Pour religieux qu'il soit, le thème n'en est pas moins traité à la façon d'une charmante pastorale rustique : faisons abstraction des bien encombrantes ailes de Raphaël, et il se mue en jeune pâtre aux pieds nus ; dès lors, le tableau gagne en charme bucolique ce qu'il perd en solennité biblique.   M.D.

Vénus endormie avec des putti dansant - APRÈS 1660 - HUILE SUR TOILE
0,62 x 0,73 M. - ACQUIS EN 1856 - IP 284

Peintre néerlandais, Nicolaes Maes fut élève de Rembrandt à Amsterdam vers le milieu du XVIIᵉ siècle. Pendant une dizaine d'années, jusque vers 1660, l'art de Maes porte très nettement l'influence de son maître : puissants clairs-obscurs, palette chaleureuse et raffinée, dominée par les tons blonds, rouge profond et ocres. Ses sujets s'inspirent également souvent des œuvres de Rembrandt dont Maes accentue, parfois à l'excès, la dimension tendre et la charge sentimentale. Suite à un contact probable avec quelques peintres de l'école de Delft, Maes se spécialise ensuite dans la scène de genre, puis, à la fin de sa carrière, devient essentiellement portraitiste de la haute société amstellodamoise. L'influence la plus notable dans ce tableau reste sûrement celle de quelques artistes flamands que Maes découvre lors d'un voyage à Anvers dans les années 1660. C'est en effet à Rubens et à Van Dyck que cette ronde d'enfants fait surtout penser. Ces putti bien en chair, s'ébattant dans un parc semblent le souvenir – quoique très assagi – de ces guirlandes d'enfants que l'on rencontre si souvent dans les compositions de Rubens ; on peut songer tout particulièrement à la célèbre *Fête de Vénus Verticorde* de Rubens (vers 1635, Vienne, Kunsthistorisches Museum), tableau dans lequel se retrouve le thème d'enfants exécutant une ronde (bien plus endiablée et grisante chez Rubens…) devant une statue à l'antique. Le sujet précis de cette œuvre reste énigmatique, et il y a de fortes chances qu'il soit en fait purement décoratif. Mais ceci n'empêche en rien qu'il s'inscrive pleinement dans une tradition essentiellement nordique d'évocation du monde de l'enfance, tradition dont la source remonte au *Jeux des enfants* de Bruegel l'Ancien (1560, Vienne, Kunsthistorisches Museum). Ainsi, ces personnages, à mi-chemin entre l'image traditionnelle de l'ange, de l'enfant et de l'Amour, sont-ils en eux-mêmes porteurs d'une symbolique confuse, sorte de contre-proposition décorative du thème philosophique de la danse macabre. La présence en second plan de la statue, évoquant quelques sculptures d'athlètes issues de l'Antiquité grecque, apparaît comme un écho aux thèmes de la pureté et de l'innocence de ces nudités enfantines. Mais cette statue incarne également les notions d'effort, de quête de perfection et de discipline nécessaires pour atteindre cet idéal héroïque. Apparaît ainsi une tension entre le jeu et l'instruction, l'effort et la gravité d'un côté, le divertissement et la liberté de l'autre. Notons également le fond de paysage idéalisé dont les coloris assourdis sont rehaussés par les notes plus sonores des drapés aux trois couleurs primaires : jaune, bleu, rouge, sorte de drapeau tricolore du classicisme européen. Idéal classique et fête baroque cohabitent ainsi dans cette étrange composition.   M.D.

Départ pour la chasse - 1664 - HUILE SUR BOIS
0,51 x 0,74 M. - ACQUIS EN 1856 - IP 301

Fils de Jan Baptist Weenix (1621-1663), Jan apprit son métier auprès de son père qui comptait parmi les bons paysagistes néerlandais italianisants. Il est surtout connu pour ses paysages, très proches de ceux qu'avait réalisés son père en Italie, au point que bien souvent des peintures de Jan sont encore attribuées à Jan Baptist. Ce *Départ pour la chasse* fait d'ailleurs partie de ces œuvres de Jan issues en droite ligne du répertoire paternel dans lequel se retrouve si fréquemment le thème du port méditerranéen bordé de ruines antiques et animé de personnages aux occupations stéréotypées : pêcheurs, camelots, mendiants, paysans. Le peintre introduit ici au premier plan le motif du veneur accompagné de ses chiens, personnage vu de dos et attentif aux ordres de son maître. Ce dernier, richement vêtu et montant un cheval racé, est la seule figure "noble" dans cet environnement essentiellement populaire (évoquant en ce sens le souvenir des bambochades issues de Pieter van Laer). En 1664 – date de l'exécution de ce tableau à en croire l'inscription – Jan est inscrit à la guilde d'Utrecht où il resta jusqu'en 1668.   M.D.

Jésus guérissant les malades – MILIEU DU XVIIIᵉ SIÈCLE - HUILE SUR TOILE
0,63 x 0,77 M. - LEGS GOWER EN 1869 - IP 485

Formé à la peinture par son père Johann Georg, Dietrich se révèle très vite un élève
talentueux. Dès 1731, à peine âgé de dix-neuf ans, il devient peintre à la cour de
l'Électeur de Saxe ; il poursuit ensuite une brillante carrière d'enseignant auprès de
diverses académies germaniques. Dietrich est surtout connu de nos jours comme un
artiste doué d'une grande habileté pour pasticher les maîtres anciens du XVIIᵉ siècle,
tout particulièrement les œuvres de Rembrandt ; c'est bien sûr à la manière de ce
maître néerlandais de l'ombre et de la lumière que ce tableau fait penser. La longue
silhouette largement auréolée du Christ domine la gauche de la composition ; par
son geste et sa stature, il rappelle quelques compositions de Rembrandt sur le thème
de la Résurrection de Lazare, à la différence essentielle cependant que le Christ de
Dietrich a une suavité très XVIIIᵉ siècle.   M.D.

Paysage - DERNIER QUART DU XVIIIᵉ SIÈCLE - HUILE SUR BOIS
0,32 x 0,44 M. - ANCIEN FONDS DU MUSÉE, ACQUIS AVANT 1895 - IP 298

Vue du Rhin - DERNIER QUART DU XVIIIᵉ SIÈCLE - HUILE SUR BOIS
0,32 x 0,44 M. - ANCIEN FONDS DU MUSÉE, ACQUIS AVANT 1895 - IP 299

Nous ne savons pas grand-chose sur Christian Georg II Schütz, peintre paysagiste allemand à ne pas confondre avec son oncle Christian Georg I Schütz, mort à Francfort-sur-le-Main en 1791. Ces deux œuvres, petits panneaux décoratifs conçus en pendant, semblent en effet relever des nombreuses vues du Rhin réalisées par Christian Georg II, qui fut également conservateur du musée de Francfort vers 1789. Les deux panneaux offrent des vues fort proches l'une de l'autre et qui ont en commun l'étude très détaillée – évoquant en ce sens le travail d'un miniaturiste – et apparemment topographiquement exacte des bords du fleuve. Par le choix d'une perspective "à vol d'oiseau", le peintre accentue l'effet de vastitude des lieux malgré la modestie du format des peintures, et confère ainsi une indéniable majesté à ce petit coin de paysage fluvial. Par cette habile stratégie de l'échelle, architectures, arbres, barques et personnages semblent ainsi minuscules, accentuant, a contrario, le déploiement grandiose du long plan d'eau et des montagnes environnantes dont le profil s'estompe efficacement à mesure que le regard s'enfonce vers les lointains brumeux. Le thème du bord de rivière ou de fleuve trouve sa source ancienne et essentielle à la fois dans les aquarelles d'Albrecht Dürer et dans les peintures de son contemporain et ami le Flamand Joachim Patinir (Patenier), veine picturale qui fut reprise au XVIIᵉ siècle notamment par des peintres néerlandais tel Salomon van Ruysdael. Ne doutons pas que ces modèles étaient bien connus par l'auteur de ces deux œuvres qui réactualise ainsi en cette fin de XVIIIᵉ siècle une tradition picturale datant de près de trois cents ans. M.D.

PEINTURE FRANÇAISE

Portrait d'homme - VERS 1630 - HUILE SUR BOIS
0,65 x 0,54 M. - LEGS TUR EN 1948 - IP 1295

Ce tableau, qui a sans doute souffert d'un nettoyage excessif, pourrait être aisément classé dans la production courante du portrait du XVIIᵉ siècle, si la qualité du rendu de l'expression alliée à la simplicité de la composition ne retenait l'attention. De fait, cette figure, au regard d'une bonhomie légèrement ironique, rayonne de vie. Le coloris fin et discret, la sobriété du rendu réaliste, comme le refus d'une analyse psychologique trop poussée du sujet, distinguent ce portrait des réalisations communes propres à ce genre. Aussi, doit-on reconsidérer l'attribution ancienne faite aux frères Le Nain. Pour notre part, nous rapprocherions volontiers cette œuvre du *Portrait d'homme* attribué à Antoine ou Louis Le Nain du musée des Beaux-Arts de Lyon.   G.T.

Moïse et le serpent d'airain - VERS 1645 - HUILE SUR TOILE
1,13 x 1,80 M. - ACQUIS EN 1998 AVEC L'AIDE DU F.R.A.M. LANGUEDOC-ROUSSILLON - IP 9801

On sait encore peu de choses sur Nicolas Chaperon : d'abord élève de Vouet, il est très tôt influencé par Poussin, comme en témoigne la série des *Bacchanales* qu'il grave en 1639. Il se rend à Rome vers 1642 où Poussin le charge de copier la *Transfiguration* de Raphaël pour Chantelou. En 1649, Chaperon publie 54 gravures d'après les Loges de Raphaël qui constitueront leur reproduction la plus appréciée dans les ateliers durant deux siècles. En 1651, il reçoit la commande du nouveau décor de l'Hôtel de Ville de Lyon mais il meurt peu après son arrivée et c'est Thomas Blanchet qui réalisera cette commande monumentale. Ce beau tableau, récemment acquis par le musée et qui a suscité la première exposition monographique sur l'artiste, rend bien compte de la double influence dont est tributaire Chaperon : celle de Vouet et celle de Poussin. Au premier, on peut rattacher le goût pour les entrelacs de corps et de draperies, et cette manière de placer au premier plan – en repoussoir – sur un angle de la composition, une figure ; au second, l'intérêt pour le paysage et le rendu déthéâtrâlisé de l'action. Mais si cette œuvre, que Chaperon a sans doute exécutée dans les premières années de son séjour romain, témoigne encore de sa vis-à-vis de ses maîtres, elle possède déjà l'esprit de son art, notamment dans son dessin enlevé et les tons en demi-teinte de sa gamme colorée, qui trahissent sa familiarité avec la gravure, genre où il excella.

G.T.

La Décollation de saint Jean-Baptiste - 1656 - HUILE SUR TOILE - 2,05 x 2,85 M.
PREMIER FONDS DU MUSÉE EN 1824 - IP 154 (photographie avant restauration)

L'Arrestation de saint Jean-Baptiste - 1667 ? - HUILE SUR TOILE - 2,30 x 2,87 M.
DÉPÔT DU MUSÉE DU LOUVRE EN 1876 - IP 152 (photographie avant restauration)

Saint Jean-Baptiste et Hérode - 1686 - HUILE SUR TOILE - 1,95 x 2,66 M.
PREMIER FONDS DU MUSÉE EN 1824 - IP 153 (photographie avant restauration)

Fils d'un peintre-verrier, protestant d'Uzès, fixé vers 1612 à Nîmes, Reynaud Levieux naît le 6 janvier 1613. Après une première formation dans l'atelier de son père, dont il gardera toujours le goût pour une peinture lisse, contrastée et d'une technique impeccable, il part pour Rome en 1635. Là, il parfait sa formation au contact des grands exemples des maîtres anciens et commence à se faire connaître et estimer. Sous la conduite de Poussin, il copie Raphaël – deux peintres qui au demeurant le marqueront profondément. De retour à Nîmes en 1643, puis à Montpellier de 1647 à 1650, il s'installe à Avignon où de nombreuses commandes, notamment des Chartreux de Villeneuve, l'incitent à se fixer. Il ne quittera la ville qu'en 1669, accompagné de plusieurs assistants, pour s'installer à Rome où il mourra en 1699. Remarquable représentant de la peinture classique en Provence, celui que l'on surnomma le "Poussin provençal" est une figure singulière de l'art français du XVIIᵉ siècle. Les travaux de Henri Wytenhove ont largement contribué à révéler sa profonde originalité. Fondée en 1488 par des confrères originaires de Florence établis à Avignon, la confrérie des Pénitents noirs de la Nativité de saint Jean-Baptiste était dénommée plus simplement confrérie des Pénitents noirs florentins. Leur chapelle s'élevait dans le jardin du couvent des Grands Augustins d'Avignon. Reynaud Levieux qui était devenu confrère pendant son séjour à Avignon à une date inconnue mais certainement entre 1651 et 1659, reçut commande d'un cycle de tableaux évoquant la vie de saint Jean-Baptiste, le protecteur de la confrérie. L'élaboration de ce cycle dura une quarantaine d'années, de la première œuvre datant de 1656 à la dernière datant de 1694. De cet ensemble dispersé à la Révolution française, le musée conserve trois tableaux, plus un quatrième qui s'y rattache peut-être. Tous sont actuellement en cours de restauration (trois grâce au mécénat de la BNP) et ils devraient bientôt regagner les cimaises du musée. G.T.

Perspective urbaine avec un effet de soleil couchant - HUILE SUR TOILE
0,26 x 0,33 M. - LEGS GOWER EN 1869 - IP 211

L'énigmatique perspective urbaine provenant de la collection Gower était récemment encore attribuée par un cartel à l'école italienne, sans datation particulière, sous le titre *Monuments romains*, alors qu'elle était considérée jusqu'en 1940 comme une œuvre de l'école française. En définitive, nous sommes en présence de la perspective d'une rue de ville imaginaire, bordée de monuments classiques avec des personnages dont les costumes ne se réfèrent nullement à l'Antiquité. Au premier plan à gauche, un curieux édicule orné d'une statue féminine semble être une fontaine d'après les personnages portant des jarres s'affairant sur la terrasse à gradins qui lui sert de socle. L'eau semble jaillir derrière l'étrange sarcophage renversé adossé sur un côté de la fontaine, seul élément évoquant le thème des ruines qui ne se retrouve pas dans le reste du tableau. Au second plan, au pied d'une sorte de portique orné de statues avec un étage sur les terrasses duquel d'autres silhouettes regardent ce qui se passe, un mendiant debout sollicite la charité d'un groupe de promeneurs. Aucune femme n'est visible parmi les personnages, alors qu'il aurait été normal d'en trouver au moins aux abords de la fontaine. D'autres édifices somptueux avec des coupoles se découpent en ombre chinoise sur un magnifique ciel crépusculaire. Cette composition pleine de mystère, probablement œuvre d'un artiste français vers le milieu du XVIIᵉ siècle, est monogrammée en bas à droite *T.F.*   A.C.

Saint François d'Assise - VERS 1688 - HUILE SUR TOILE
2,10 x 1,25 M. - ACQUIS EN 1827 - IP 253

Formé par son père l'académicien Michel I Corneille (1603-1664), puis par Charles
Lebrun et très influencé par Pierre Mignard, Michel II Corneille séjourna à Rome
autour de 1660 avant d'être reçu à l'Académie en 1663 dont il devint professeur en
1690. L'apogée de sa carrière se situe dans les années qui suivirent la mort de Colbert
en 1683, lorsqu'il devint un des favoris de Louvois (1639-1691), nouveau directeur
de la politique des Bâtiments du roi. Le *Saint François d'Assise* entré au musée en 1827
sous une attribution erronée à l'école vénitienne puis à un peintre siennois de la fin
du XVIe siècle, Francesco Vanni, se rattache à l'œuvre de Michel II Corneille. Il
s'agit du tableau d'autel de la chapelle du déambulatoire de l'église Saint-Roch à
Paris, concédée en 1688 au marquis de Louvois, François Michel Le Tellier, protecteur de l'artiste. Elle était consacrée à son saint patron François d'Assise. Bien que le
tableau nîmois soit encore recouvert d'un épais vernis jaunâtre, on pressent un beau
coloris brun, vert et bleu sombre mettant en relief la pâleur du saint causée par les
privations et la pénitence, consolé par le chant des anges.   A.C.

Portrait présumé de Charles de Parvillez – 1692 - HUILE SUR TOILE
0,80 x 0,63 M. - ACQUIS EN 1827 - IP 156

D'après une inscription ancienne très précise au dos du tableau, le modèle serait un magistrat de haut rang comme le confirme son habit noir avec rabat. Il aurait été chargé des conflits relatifs au sel à Châlons-en-Champagne. La même inscription stipule que le tableau aurait été peint par Hyacinthe Rigaud en 1692 alors que le modèle, décédé en 1712, avait 72 ans. Aucune raison véritable ne justifie de s'opposer à l'identité du modèle, pas plus qu'à l'attribution du tableau, qui est très probable. Arrivé à Paris en 1681 après une formation à Montpellier auprès d'Antoine Ranc et un séjour à Lyon, Hyacinthe Rigaud connut un succès immédiat. Le portrait de Charles de Parvillez frappe par sa rigueur et sa retenue que souligne l'austérité de l'habit noir rendu, comme la perruque, avec virtuosité. L'éclairage vient rehausser d'une lumière ambrée le visage sévère du magistrat. A.C.

Autoportrait - 1714 - HUILE SUR TOILE
0,90 x 0,70 M. - ACQUIS EN 1828 - IP 131

Portrait de la mère du peintre - 1714 - HUILE SUR TOILE
0,90 x 0,70 M. - ACQUIS EN 1828 - IP 130

D'origine flamande, Jacques-François Delyen fut, avec Jean-Baptiste Oudry, l'un des
talentueux élèves de Nicolas de Largillière. Comme son maître, il se spécialisa dans le
genre du portrait et hérita d'un goût certain pour les étoffes chatoyantes et colorées,
et d'une brillante acuité dans le rendu des visages. Il fut reçu à l'Académie royale en
1725 avec le *Portrait du sculpteur Guillaume I Coustou* et exposa régulièrement au Salon
entre 1737 et 1747, essentiellement des portraits et quelques scènes de genre. D'après
l'inscription sur le portefeuille que tient le peintre, les deux portraits se situent très
tôt dans sa carrière, en 1714. Delyen s'est représenté dans son atelier : on distingue
en effet à l'arrière-plan en haut à droite, une palette, une tête d'antique et une sculpture. Les vêtements noirs font peut-être allusion à un deuil et soulignent le caractère
intime de ces deux portraits. Un autoportrait semblable fut exposé à l'une des exposi-
tions de la Société des Beaux-Arts de Montpellier en 1784 : "Jean de Lyen (sic) était
séduisant dans ses portraits ; il peignait largement et d'une bonne couleur ; beaucoup
de fraîcheur dans les chairs et de fermeté dans la touche". A.C.

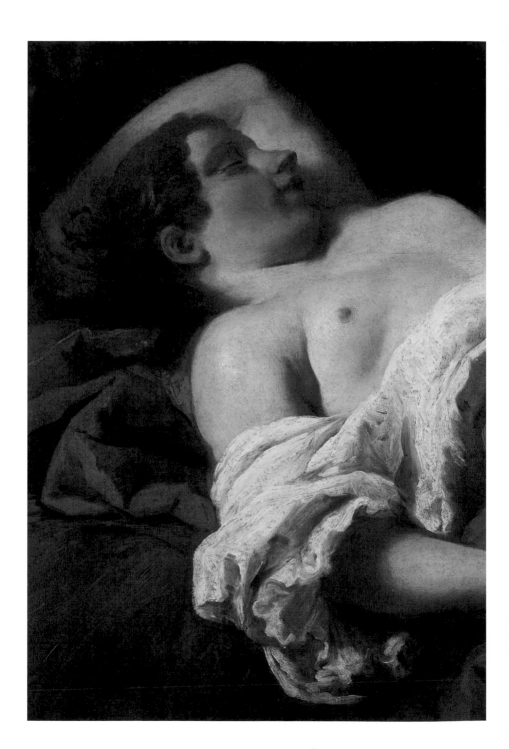

La Moissonneuse endormie - VERS 1725/1730 - HUILE SUR TOILE
1,038 x 1,373 M. - ACQUIS EN 1827 (COLLECTION JEAN-VIGNAUD) - IP 178

Dès son acquisition en 1827, *La Moissonneuse endormie* était correctement attribuée à Jean-François de Troy et fut depuis considérée comme un des chefs-d'œuvre du musée. La lascivité de la figure, d'exécution rapide avec un coloris chaud et de nombreux empâtements, justifie en grande partie le pouvoir de séduction que le tableau possède toujours. Lors d'une visite du musée en 1863, Courbet, frappé par ce superbe morceau, en fit une copie, aujourd'hui conservée au Japon (Nishinomiya). Il se souvint certainement du corps assoupi et offert de la jeune paysanne lorsqu'il brossa *Le Sommeil* (1866, Paris, Petit Palais). De Titien à Poussin, l'histoire de la peinture est jalonnée par des figures de nymphes endormies ou d'Ariane abandonnée dans une position semblable, inspirées d'un célèbre antique du Vatican, une Cléopâtre en marbre. Probablement conçue pour être un dessus-de-porte, cette scène de la vie champêtre (buisson, gerbe de blé, faucille, chaleur estivale, corsage largement ouvert, jupe relevée) est prétexte à un érotisme rare chez ce peintre qui multiplie pourtant les figures féminines. Très impressionné par les grands artistes vénitiens lors de son voyage en Italie de 1699 à 1706, Jean-François de Troy se rapproche ici beaucoup de l'art de son exact contemporain Giambattista Piazzetta (Venise, 1683-1754).   A.C.

Moïse et le serpent d'airain - 1727 - HUILE SUR TOILE
0,96 x 1,29 M. - DÉPÔT DU MUSÉE DU LOUVRE EN 1954 - IP 1373

Né à Saint-Gilles-du-Gard, formé dans l'atelier d'Antoine Rivalz à Toulouse, premier Grand Prix de l'Académie à Paris en 1727, Pierre Subleyras s'établit dès l'année suivante à Rome. Il y demeurera jusqu'à sa mort. De fait, Français ayant accom-
pli l'essentiel de son œuvre en Italie, son image souffrira toujours de cette double
appartenance qui le fait considérer à Paris comme un peintre romain et dans la
péninsule comme un artiste résolument français. De plus, son style retenu, précis,
d'une noblesse austère qui n'est pas sans annoncer parfois le néoclassicisme, le sin-
gularise et l'isole définitivement de ses compatriotes dont le goût va plutôt, à
l'époque, vers la joliesse du rococo. Néanmoins, il obtient en Italie d'importantes
commandes pour des édifices religieux, dont une, qu'il achèvera peu de temps avant
sa mort, pour la basilique Saint-Pierre.

Le samedi 30 août 1727, Subleyras recevait le Premier Prix de peinture de
l'Académie sur présentation de son tableau *Moïse et le serpent d'airain*, ce qui lui
ouvrait les portes de l'Académie de France à Rome. Le sujet imposé à l'artiste est
bien connu : Moïse montre aux Israélites le serpent d'airain dont la vue doit les pré-
server de la morsure des serpents envoyés par Dieu pour les punir. En dépit de ses
références nombreuses, cette œuvre, traitée dans des valeurs claires et délicates s'affirme par son souci d'harmonie et son hiératisme, des qualités dont Subleyras fera
une marque de style.   G.T.

Portrait de Jacques de Fitz-James Stuart, duc de Berwick (1670-1734)
VERS 1730 - HUILE SUR TOILE - 0,59 x 0,49 M. - ACQUIS EN 1827 - IP 118

Le modèle, Jacques de Fitz-James Stuart (Moulins, 1670-Philippsburg, 1734), était un fils naturel du roi d'Angleterre Jacques II. Contraint à l'exil en France en 1689, il y fit une brillante carrière militaire au service de Louis XIV et fut nommé maréchal de France en 1706. Comme l'usage voulait que le temps de pose ne dure pas trop longtemps, seul le visage du prince est exécuté avec précision : l'armure, les ornements du col, la perruque sont seulement ébauchés. Le grand portrait auquel cette esquisse devrait correspondre n'est pas connu. L'attribution à Largillière, qui était celle que portait le tableau dans la collection du peintre Jean Vignaud, d'où il provient, semble pouvoir être maintenue. Les musées du château de Versailles et des Beaux-Arts de Caen conservent deux versions d'un portrait de Berwick peint par Hyacinthe Rigaud au début du XVIIIe siècle où le modèle apparaît beaucoup plus jeune que sur ce tableau, probablement peint vers 1730 à cause des traits marqués par l'âge et l'embonpoint.   A.C.

L'Entrée de Marc-Antoine à Éphèse – 1741 - HUILE SUR TOILE
3,57 x 7,16 M. - DÉPÔT DU MUSÉE DU LOUVRE EN 1998 - IPD 9802

Né à Nîmes en 1700, Charles-Joseph Natoire illustre sans doute le mieux, avec
François Boucher, un certain esprit de la peinture française sous le règne de Louis
XV. Peintre subtil, dessinateur inspiré et virtuose, il donna également au grand décor
de son époque quelques-unes de ses pages les plus remarquables. Le cycle de
L'Histoire de Marc-Antoine (1740/1757), suite de cartons de tapisserie pour la
manufacture des Gobelins dont le musée de Nîmes possède les trois seuls réalisés,
plus une esquisse de petit format pour un quatrième jamais peint, constitue un de ses
derniers grands chantiers, conduit entre Paris et Rome. À l'origine ce sont sept
tableaux illustrant L'Histoire de Marc-Antoine et Cléopâtre qui furent commandés
à Natoire en 1740 pour être tissés. Le premier, *L'Entrée de Marc-Antoine à Éphèse*, fut
présenté au Salon dès 1741. En revanche, les deux cartons suivants tardèrent à être
peints ; le deuxième, *Le Repas de Cléopâtre et de Marc-Antoine*, ne fut terminé qu'en
1754 et le troisième, *L'Arrivée de Cléopâtre à Tarse*, en 1756. Entre temps, Natoire,
nommé directeur de l'Académie de France à Rome, où il arriva en 1751, commença
une nouvelle vie. Une vie d'administrateur et d'enseignant tout d'abord, une vie d'artiste ensuite où, peu à peu, son œuvre de peintre passa au second plan, l'éloignement
de Paris et le changement du goût entraînant un tarissement des commandes. Aussi,
le cycle de L'Histoire de Marc-Antoine constitue-t-il, avec le plafond de Saint-
Louis-des-Français de Rome, le dernier grand ensemble peint de Natoire.   G.T.

Le Repas de Cléopâtre et de Marc-Antoine - 1754 - HUILE SUR TOILE
3,35 x 4,80 M. - DÉPÔT DU MUSÉE DU LOUVRE EN 1872 - IP 140

L'Arrivée de Cléopâtre à Tarse - 1756 - HUILE SUR TOILE
3,35 x 4,80 M. - DÉPÔT DU MUSÉE DU LOUVRE EN 1958 - IP 1421

La Conclusion de la paix de Tarente - 1757 - HUILE SUR TOILE
0,49 x 0,63 M. - ACQUIS EN 1966 - IP 1831

CHARLES-JOSEPH NATOIRE - NÎMES, 1700-CASTEL GANDOLFO, 1777

Saint Étienne entraîné devant les docteurs qui produisent de faux témoins contre lui et excitent l'émotion des sénateurs, des scribes et du peuple - 1745 - HUILE SUR TOILE 2,44 x 1,75 M. - DÉPÔT DU MUSÉE DES BEAUX-ARTS DE RENNES EN 1998 - IPD 9801

Peint en 1745 pour la chapelle Saint-Symphorien de l'église Saint-Germain-des-Prés à Paris, également décorée d'œuvres de Pierre, Jeaurat et Hallé, ce beau tableau illustre un aspect moins connu de l'œuvre de Natoire : la peinture religieuse. Natoire fut néanmoins très apprécié dans ce registre, comme en témoigne le décor, unanimement admiré, qu'il réalisa entre 1746 et 1750 pour la chapelle de l'Hospice des Enfants Trouvés malheureusement détruite. La composition, axée sur la figure de saint Étienne, n'est pas exempte d'une certaine raideur, cependant, l'équilibre des masses, la délicatesse du chromatisme et la variété des physionomies confèrent à ce tableau une autorité indéniable et traduisent, de façon très suggestive, l'opposition entre le saint revêtu de son habit de diacre et ses détracteurs, qui obtiendront sa lapidation et feront de lui le premier martyre du christianisme. G.T.

Marine - VERS 1758/1760 - HUILE SUR BOIS
0,28 x 0,40 M. - ANCIEN FONDS DU MUSÉE, ACQUIS AVANT 1844 - IP 184

Le petit panneau représentant des pêcheurs dans une crique rocheuse ouverte sur un golfe méditerranéen au pied d'un fort, est typique de la production courante de Joseph Vernet, destinée à la foule de ses admirateurs désireux de posséder un morceau de sa main. Après un séjour de presque vingt ans à Rome où il se consacra au paysage et en particulier aux marines qui lui assurèrent une clientèle internationale, Joseph Vernet rentra en France en 1753. Il y reçut un accueil empressé, tant sa notoriété était déjà importante à cause du succès rencontré par ses envois réguliers au Salon depuis 1746. La commande royale des *Ports de France* qu'il reçut aussitôt arrivé et dont l'exécution devait se poursuivre jusqu'en 1765, assura définitivement la gloire du peintre. Cependant, à partir de 1760, Vernet eut tendance, pour contenter les amateurs, à s'en remettre aux formules éprouvées qu'il avait mises au point en Italie, sans se départir toutefois d'une impeccable qualité de facture.   A.C.

Prédication de saint Denis - 1764 - HUILE SUR TOILE
1,09 x 0,65 M. - ACQUIS EN 1827 (COLLECTION JEAN-VIGNAUD) - IP 250

L'esquisse de la *Prédication de saint Denis* est un témoignage aussi remarquable qu'émouvant de l'art de Deshays qui mourut en 1765, quelque temps après son exécution. Le tableau est en rapport avec le décor du nouveau transept de l'église Saint-Roch à Paris décidé dès 1759. Les sujets des immenses tableaux (6,65 x 3,93 m.) qui devaient décorer chacun des autels situés à l'extrémité des bras étaient *Le Miracle des Ardents* (peint par Gabriel-François Doyen, 1767, toujours en place) et *Saint Denis prêchant la foi en France* (peint par Joseph-Marie Vien, 1767, toujours en place). Deshays, qui avait remporté le Grand Prix en 1751 et séjourné à Rome de 1754 à 1758, s'était imposé en peu d'années comme le premier peintre religieux de sa génération par son aptitude à créer en grand, à allier intensité dramatique, variété des expressions et sûreté de la couleur. C'est ainsi qu'il fut sollicité par la fabrique de Saint-Roch pour le tableau consacré à saint Denis, en définitive peint par Vien à la suite du décès prématuré du jeune peintre. La composition est proche du *Mariage de la Vierge* de 1763 pour l'église Saint-Pierre de Douai. Si Deshays avait pu aboutir, il ne fait pas de doute que la fameuse opposition entre le tableau très rubénien de Doyen et le classicisme de Vien aurait laissé place à un dialogue pictural plus subtil, hommage de la peinture française à Rubens, aux Carrache et à Caravage.   A.C.

Tomyris, reine des Massagètes, fait tremper le chef de Cyrus dans un vase de sang
1766 - HUILE SUR TOILE - ESQUISSE 0,42 x 0,36 M. - TABLEAU 1,43 x 1,10 M.
ACQUIS EN 1989 ET LEGS TUR EN 1948 - IP 1989-02 ET 1389

Le sujet, tiré d'Hérodote ou de Valère Maxime, relate comment Tomyris, reine des Massagètes, fit plonger la tête de Cyrus dans un vase plein de sang afin de venger son fils mis à mort par ce dernier. Il fut proposé pour le concours du Grand Prix de peinture de l'Académie royale de 1766 auquel Berthélemy se présentait pour la troisième fois. C'est Ménageot et Vincent qui obtinrent respectivement les Premier et Second prix, laissant à nouveau Berthélemy face à un échec qu'il finira par surmonter l'année suivante en remportant le concours avec *Alexandre tranchant le nœud gordien*. À quarante ans d'intervalle, le musée a eu la chance de pouvoir réunir l'esquisse préparatoire et le tableau présenté au concours de 1766. Le jury a peut-être reproché à Berthélemy de s'être largement inspiré de l'œuvre de Rubens sur le même thème qui se trouvait dans les collections royales (Paris, musée du Louvre). Cependant, malgré l'admiration certaine de l'artiste pour le grand maître flamand, Berthélemy parvient à créer une œuvre originale où il affirme un goût prononcé pour les grandes mises en scène rythmées par des architectures et des draperies, les foules nombreuses et les groupements denses de personnages ainsi que pour une palette vive où dominent le bleu et le rouge. Dans l'esquisse très virtuose, quelques larges coups de brosse suffisent à indiquer les grandes lignes de la composition et à définir globalement les masses et les contrastes lumineux.   A.C.

L'Obéissance récompensée - 1768 - HUILE SUR TOILE
0,52 x 0,39 M. - ACQUIS EN 1827 - IP 26

Mieux qu'aucun autre artiste de son époque, François Boucher illustre une certaine image de l'art français du XVIIIe siècle et plus particulièrement celui du règne de Louis XV. Sa touche à la fois raffinée et enlevée, la largesse et la sensualité de son dessin, enfin sa prédilection pour la mythologie, le paysage et les scènes de genre concourent à faire de lui l'archétype d'un XVIIIe siècle libertin et frivole, assurément plus rêvé que réel. Durant les dernières années de sa carrière François Boucher se consacra presque entièrement à la peinture de pastorales et de paysages champêtres. Ce tableau, sans doute l'un des plus réussis de cette veine, a certainement été peint, compte tenu de son format, pour le cabinet d'un amateur. On y retrouve l'élégance et la préciosité propres au style de Boucher, la gamme pastel de sa palette et le charme inimitable de ses figures qui faisaient dire à Théophile Gautier : "Tout cela est d'une séduction irrésistible, et d'un mensonge plus aimable que la vérité".   G.T.

Paysage - 1770/1800 - HUILE SUR TOILE
0,76 x 1,30 M. - LEGS TUR EN 1948 - IP 1321

Contrairement à la plupart des grands paysagistes de la fin du XVIIIe siècle, Moreau l'Aîné ne fit jamais le voyage d'Italie. N'étant pas non plus parvenu à entrer à l'Académie royale de peinture, il dut attendre que l'accès du Salon fût devenu libre pour pouvoir y exposer pendant toute la période révolutionnaire et cela jusqu'à sa mort. Élève de Pierre-Antoine Demachy, il est devenu rapidement l'un des meilleurs peintres de paysages d'Île-de-France, jusqu'à s'attirer les faveurs du comte d'Artois. Le tableau de Nîmes est typique de son art avec l'absence de sujet et un grand ciel nuageux dont la facture est proche de celui de la *Vue du château de Vincennes prise des hauteurs de Montreuil* (Paris, musée du Louvre). Le traitement des arbres, de la végétation et des rochers rappelle directement la touche frémissante de ses gouaches et aquarelles qui constituent l'essentiel de son œuvre peint. Les beaux dégradés de vert et de bleu, la fluidité de la matière achèvent de donner à ce tableau un charme qui n'est pas très éloigné de celui que l'on retrouve chez les paysagistes anglais.   A.C.

Tête de vieille femme - 1777 - HUILE SUR BOIS
0,31 x 0,26 M. - DÉPÔT DU MUSÉE DU LOUVRE EN 1954 - IP 1372

Issu d'une ancienne famille d'Aigues-Mortes, Étienne
Théaulon se forme à Paris dans l'atelier de Vien. Agréé
à l'Académie royale en 1774, il commence à exposer au
Salon en 1775, où il rencontre immédiatement un vif
succès auprès des amateurs. Ainsi, en 1777, il participe à
la décoration aux côtés de Greuze, Fragonard et
Lagrenée, de la Folie du comte d'Artois à Bagatelle.
Atteint de tuberculose, il séjourne fréquemment en
Languedoc et meurt prématurément en 1780. Peintre
de paysages, de scènes de genre, de sujets mythologiques
et de portraits, il est représentatif de ces "petits maîtres"
qui accompagnèrent, dans les dernières années de
l'Ancien Régime, la vogue grandissante des sujets flamands et hollandais. Ce beau portrait, dont il existe
semble-t-il plusieurs versions, et qui pourrait représenter la mère de l'artiste, illustre l'indéniable talent de
Théaulon. Avec sa touche fluide, son rendu vigoureux,
son souci de vérité dans l'expression du modèle, ce
tableau témoigne aussi de l'influence de deux grands
maîtres de l'époque : Greuze et Fragonard.   G.T.

Metellus sauvé par son fils - 1779 - HUILE SUR TOILE
3,265 x 4,165 M. - DÉPÔT DU MUSÉE DU LOUVRE EN 1960 - IP 1365

Issu d'une commande, en 1778, du nouveau directeur des Bâtiments du roi, le comte d'Angiviller, pour renouveler la peinture d'histoire en France, le tableau de Brenet fut exposé l'année suivante au Salon où il fut apprécié par la critique. Son sujet est à la fois un éloge de la piété filiale et de la mansuétude du vainqueur. Reconnaissant son père parmi les prisonniers du parti d'Antoine qui allaient être condamnés à mort, un jeune homme au service d'Octave demande à l'empereur sa grâce ou leur trépas commun. Bien qu'ennemi implacable d'Octave, le vieillard fut libéré. Le nouvel élan donné à la peinture d'histoire par d'Angiviller fut un tournant dans la carrière de Brenet, un ancien élève de Boucher, qui trouva dans les tableaux de grand format à sujet national ou antiquisant, aux accents nobles et vertueux, un nouveau langage pictural à la fois descriptif et émotionnel. La composition mouvementée s'organise avec lisibilité dans un vaste cadre architectural alors qu'un soin tout particulier est apporté à la reconstitution des costumes et des accessoires. Le modelé puissant des personnages est considérablement allégé par la clarté du coloris. Avec *La Mort de Du Guesclin* (1777, Versailles, château), *Metellus* inaugurait une impressionnante série de tableaux tout aussi ambitieux comme *Le Combat des Grecs et des Troyens* (1781, Arras), *Virginius prêt à poignarder sa fille* et *Le Fils de Scipion rendu à son père par Antiochus* (1783 et 1787, Nantes) qui mettent Brenet au rang des meilleurs peintres d'histoire de la seconde moitié du XVIIIe siècle. A.C.

Le Retour de Mars – 1779 ? - HUILE SUR PAPIER CONTRECOLLÉ SUR CARTON
0,40 x 0,50 M. - DÉPÔT DU MUSÉE DU LOUVRE EN 1872 - IP 112

L'esquisse provenant de la collection de Louis La Caze léguée au musée du
Louvre en 1869 est peut-être préparatoire au tableau présenté par Nicolas-
René Jollain au Salon de 1779, *Le Retour de Mars*, en pendant avec une
Toilette de Vénus. Longtemps attribuée à Lagrenée l'Aîné qui, il est vrai,
affectionnait beaucoup ce genre de sujets, cette esquisse fut prudemment
attribuée à l'école française de la fin du XVIII⁺ siècle pour être récemment,
et à juste titre, rendue à Jollain, élève de Jean-Baptiste Pierre, par Jean-
Christophe Baudequin et Jérôme Montcouquiol. Jollain obtint le Second
Prix de peinture en 1754 et commença sa carrière avec de grandes compositions religieuses (quatre tableaux à l'église Saint-Denis à Montpellier,
1762) et des commandes officielles (deux dessus-de-porte pour le Petit
Trianon, 1768). Régulièrement présent au Salon à partir de 1767, il est reçu
à l'Académie royale en 1773 (*Le Bon Samaritain*, Paris, église Saint-
Nicolas-du-Chardonnet). Beaucoup de ses envois au Salon sont des œuvres
de petit format comme celui de Nîmes, très proche d'un tableau de 1775,
Pyrrhus enfant présenté à Glaucias (musée de Soissons).   A.C.

Combat de l'Amour et de la Chasteté - 1781 - HUILE SUR TOILE
0,41 x 0,35 M. - LEGS TUR EN 1948 - IP 1403

Grâce à la description donnée dans les *Mémoires secrets* d'un
tableau de Lagrenée exposé au Salon de 1781 et perdu depuis,
il est possible de l'identifier avec le tableau légué par Charles
Tur : "Un air très recueilli ; une vaste draperie l'enveloppe
depuis les pieds jusqu'à la tête. Elle a arraché au petit dieu son
carquois, et celui-ci, fort sot, reste désarmé. Coloris frais,
tendre, vierge comme la déité". D'après l'état des tableaux
dressé par Lagrenée, il aurait peint ce sujet pour le comte
d'Adhémar au prix de 720 livres, somme qui indique bien un
petit tableau. Il pourrait s'agir de Jean Balthasar Monfalcon
(Nîmes, 1731-Paris ?, 1791), comte d'Adhémar en 1765, offi-
cier puis diplomate, qui était un personnage influent de l'entourage de la reine. Son origine nîmoise pourrait en partie
expliquer la présence du tableau dans la collection Tur. Le
Combat de l'Amour et de la Chasteté était présenté au Salon de
1781 avec *La Visitation de la Vierge* (Madrid, musée du Prado)
et *L'Amour des Arts console la Peinture* (Paris, musée du
Louvre). Lagrenée affectionnait particulièrement la peinture
mythologique aimable dont il avait cependant su déjouer le
piège de la mièvrerie. Sa palette fraîche et sa facture raffinée
le conduisaient toujours à aller vers une simplicité plus grande, ce dont témoigne parfaitement ce tableau.   A.C.

Mercure enseignant la lyre à Amphion - 1819 - HUILE SUR TOILE
2,60 x 2,20 M. - DÉPÔT DE L'ÉTAT VERS 1824 - IP 1498

Connu en tant que dessinateur et portraitiste, Vignaud devient à Paris l'élève de David. Le succès, au Salon de 1812, d'une première toile importante, *La Mort de Le Sueur*, le consacre comme peintre d'histoire et de tableaux religieux. Vignaud occupa la charge de directeur de l'école de Dessin de Nîmes et la Ville lui acheta plusieurs œuvres, dont cette grande scène d'inspiration mythologique exposée au Salon de 1819. Devant un paysage schématique, quelques collines aux reliefs bleutés dominant une vaste étendue d'eau, il a placé les deux protagonistes dans une composition triangulaire. Mercure, reconnaissable à son chapeau rond ailé, a ici l'aspect d'un athlète au corps robuste. Il se penche vers Amphion, qui, dans la tendresse de son jeune âge, semble écouter attentivement les leçons de son maître, tout en tentant de pincer les cordes de la lyre à sept cordes fabriquée par Mercure enfant. La scène fait allusion à l'enseignement que reçut le jeune homme, connu ensuite pour ses dons remarquables de musicien. Le choix du sujet, l'idéalisation à l'antique des corps masculins, non exempts d'une certaine maladresse, comme le montre la disproportion accusée entre la tête de Mercure, trop petite, et sa carrure athlétique, reflètent le goût et l'enseignement néo-classique de l'école de David. Vignaud, qui se fera remarquer plus pour la grâce et l'élégance de ses compositions que pour leur force, donne de cet épisode une vision aimable et gracieuse, au dessin et au coloris distingués.   A.J.

*Locuste remettant à Narcisse le poison destiné à Britannicus,
en fait l'essai sur un jeune esclave* - 1824 - HUILE SUR TOILE
0,85 x 1,07 M. - DON DE M. ROSSI EN 1838 - IP 169

"Un grand peintre est né à la France..." Thiers salue ainsi l'envoi de la *Locuste* de
Sigalon au Salon de 1824. Le jeune artiste, formé à Nîmes auprès de Monrose, puis
à Paris dans l'atelier de Guérin à partir de 1817, s'était distingué en exposant au
Salon de 1822 *La Courtisane*, achetée par l'État. La qualité de ce premier envoi le
situe aux côtés de Delacroix comme un des espoirs de la peinture romantique. Le
sujet de *Locuste* lui fut inspiré pendant la représentation du *Britannicus* de Racine par
ces vers de Narcisse à Néron : "Seigneur, j'ai tout prévu. Pour une mort si juste / Le
poison est tout prêt ; la fameuse Locuste / A redoublé pour moi ses soins officieux ; /
Elle a fait expirer un esclave à mes yeux, / Et le fer est moins prompt à trancher une
vie / Que le nouveau poison que sa main me confie". La scène a lieu dans une caverne où le jour arrive à peine. Narcisse, assis, contemple l'agonie du malheureux esclave sur lequel la magicienne a fait l'expérience du poison qui doit délivrer Néron de
Britannicus. Vieille, décharnée, Locuste, debout à ses côtés, désigne sa victime ago-
nisante et vante à Narcisse son filtre mortel. L'intensité dramatique est accentuée par
la lumière conduisant le regard dans un mouvement tournant pour éclairer le corps
arc-bouté de l'esclave et son visage aux yeux révulsés. Le tableau suscita des commentaires élogieux et passionnés : on souligna l'expressivité de la scène, sa composition simple et bien conçue, la vigueur de l'exécution, la justesse des attitudes.
Révélation du Salon de 1824, la *Locuste* fut achetée par le banquier Laffitte, puis
échangée contre un autre tableau de Sigalon, sa femme n'ayant pu supporter la
cruauté d'une telle représentation. En 1829, le peintre entreprit des démarches
auprès de la Ville de Nîmes pour la faire acheter. L'acquisition fut faite en 1829 pour
5 000 F, l'œuvre, dont le musée conserve également l'étude préparatoire, prenant
place l'année suivante à la Maison Carrée.   A.J.

Locuste remettant à Narcisse le poison destiné à Britannicus,
en fait l'essai sur un jeune esclave - 1824 - HUILE SUR TOILE
2,20 x 2,90 M. - ACQUIS EN 1829 - IP 163

Massacre des enfants de la race royale ordonné par Athalie - VERS 1824
SANGUINE ET CRAYON NOIR SUR TOILE PRÉPARÉE - 1,100 x 1,505 M. - LEGS ROSSI EN 1838 - IP 949

Encouragé par le succès de sa *Locuste*, Sigalon entreprend en 1824 une grande composition. Il s'inspire à nouveau des vers de Racine : "Des princes égorgés la chambre était remplie, / Un poignard à la main, l'implacable Athalie / Au carnage animait ses barbares soldats / Et poursuivait le cours de ses assassinats". Mais la maladie et le manque d'argent compromettent temporairement l'exécution de l'œuvre. L'exiguïté et le mauvais éclairage de son atelier ne lui permettent pas de se rendre compte des défauts soulignés par la critique. L'artiste, déçu, reprit ses activités de portraitiste. Acheté par l'État au prix de 4 000 F, le tableau sera déposé au musée des Beaux-Arts de Nantes en 1833. Le musée de Nîmes en détient l'esquisse préparatoire. Les personnages y sont représentés nus, d'après le modèle vivant, les nombreux tracés montrant l'élaboration complexe du dessin. Magistralement campée au centre de la scène, Athalie domine la mêlée et désigne du doigt les victimes. L'artiste a construit la scène par un jeu de diagonales entrecroisées. Protégée par une servante, Josabeth emporte Joas, qui permettra à la race de survivre. Dans le grand tableau, Sigalon a supprimé la longue enfilade de la colonnade et l'un des groupes. Il adopte une architecture rectiligne, alors que celle du dessin, dans sa ligne de fuite, semble répéter à l'infini le drame qui se joue. L'artiste garde ici une certaine retenue dans l'expression des personnages, en particulier d'Athalie, que le tableau représente dans toute sa fureur. Empreinte à la fois de la formation classique du peintre et de sa sensibilité romantique, cette esquisse témoigne de ses qualités exceptionnelles de dessinateur. A.J.

Longtemps considéré comme un autoportrait, bien que les effigies connues de l'artiste, peintes ou sculptées, accusent des traits plus forts et singulièrement différents, ce portrait est aujourd'hui identifié comme celui d'Adolphe Cartroux, avocat, mort prématurément à l'âge de 28 ans. Il reprend la pose adoptée par l'artiste pour se représenter jeune homme (Paris, musée du Louvre), ce qui explique peut-être la confusion. L'avocat nîmois est représenté à mi-corps, la main droite à la taille, la gauche reposant sur un livre à la tranche rouge. L'attitude est reprise à l'inverse du portrait du Louvre. Le peintre a pareillement fait émerger la tête de son modèle d'une chemise blanche au grand col cassé, mais moins ouverte sur la poitrine, tranchant sur une veste sombre. Une partie du visage est noyée dans une ombre propice à sculpter parfaitement le profil régulier, bien qu'un peu efféminé du modèle, impassible. Seules la partie droite du visage et les mains sont éclairées devant un fond quasiment uniforme. L'utilisation particulière de la lumière confère à ce portrait mélancolique un charme indéfinissable. Les similitudes relevées entre les deux œuvres concourent à situer celle-ci assez tôt dans l'œuvre de Sigalon, qui devait connaître un certain succès dans ce genre, pratiqué dès ses débuts pour subvenir à ses besoins. Il y revint après l'échec d'*Athalie*, acceptant les commandes de notables nîmois. Le peintre Boucoiran, qui l'avait accompagné à Rome, fut un de ses derniers modèles. A.J.

Cromwell découvrant le cercueil de Charles Ier - 1831 - HUILE SUR TOILE
2,80 x 3,45 M. - DÉPÔT DE L'ÉTAT EN 1834 - IP 59

Chef de file du courant du Juste Milieu, représentatif de la Monarchie de Juillet, Delaroche fut au XIXe siècle aussi célèbre que Delacroix et Ingres, mais sa peinture tomba rapidement dans l'oubli, bien que les manuels scolaires aient popularisé certaines de ses grandes compositions historiques, tel le *Général Bonaparte franchissant les Alpes* (Paris, musée du Louvre). Élève de Watelet, Delaroche commence sa carrière comme paysagiste avant de s'orienter vers la peinture d'histoire, sous l'ascendant de Gros. Lancé au Salon de 1822, Delaroche, que l'on accusera d'avoir fait "descendre l'histoire jusqu'au genre", s'illustre avec brio dans des tableaux religieux et une peinture d'histoire d'une forte intensité dramatique, exécutés avec une grande maîtrise. En 1830, l'État lui commande pour 5 000 F un tableau destiné au Salon de 1831. Arrivé tardivement, il est placé près de l'entrée et suscite l'intérêt d'un public nombreux et la réaction passionnée des critiques. On lui reproche une perspective mal calculée, le manque d'expressivité du visage de Cromwell, sa pose mélodramatique et une manière froide et réservée. Défendue par Heine, l'œuvre est décriée par Théophile Gautier ("une paire de bottes devant une boîte à violon"). Pour transposer cet épisode de l'histoire anglaise, Delaroche s'inspira vraisemblablement des *Quatre Stuart* de Chateaubriand : "Cromwell, après la décapitation de Charles Ier, dont le cadavre avait été transporté dans les appartements du palais de White Hall, soulève le couvercle du cercueil pour contempler les restes de ce prince". Remarqué pour l'ardeur de sa foi protestante, Cromwell (1599-1658) était un des membres de l'opposition à Charles Ier au parlement entre 1628 et 1629. Ayant dirigé victorieusement la révolte contre le souverain, il le fit décapiter. Si le drame de Victor Hugo (1827) peut être considéré comme une autre source possible, il semble que c'est au goût prononcé du peintre pour l'histoire de l'Angleterre que l'on doit cette représentation. Dès 1827, il s'était attiré l'admiration du public et les éloges de la critique pour sa *Mort de la Reine Elizabeth*. La présentation conjointe du *Cromwell* et de l'émouvante évocation des *Enfants d'Édouard IV* lui assura un succès sans précédent, perpétué par l'évocation d'autres faits tragiques : *L'Exécution de Jane Grey* en 1834, puis *Charles Ier insulté par les soldats de Cromwell* en 1837. Le tableau fut déposé au musée de Nîmes dès 1834, sans doute sur l'intervention de Guizot. A.J.

Visite de François Ier aux monuments de Nîmes - 1836 - HUILE SUR TOILE
1,84 x 2,38 M. - DON DE L'ARTISTE EN 1838 - IP 1491

Directeur de l'école de Dessin de Nîmes, Colin y enseigna entre 1834 et 1838. C'est
sur le parvis de la Maison Carrée qu'il place la visite de François Ier en 1533. Bien que
son grand format l'apparente à un tableau d'histoire, la représentation est typique de
la peinture troubadour privilégiant Moyen Âge et Renaissance comme sources
d'inspiration. Colin évoque le rôle de mécène et d'érudit du roi de France, qui rendit à la ville les armes de l'ancienne colonie romaine et ordonna la démolition des
constructions défigurant l'amphithéâtre antique et la Maison Carrée. La légende
rapporte que le souverain s'était agenouillé dans la poussière, pleurant devant les
ruines de l'amphithéâtre. Le peintre le représente un genou à terre devant une stèle,
nettoyant lui-même la poussière pour déchiffrer les inscriptions romaines. Répartie
en arc de cercle autour de lui, une cour nombreuse l'accompagne, mais seuls ses deux
jeunes pages et ses compagnons proches suivent sa lecture. Une foule se presse alen-
tour, tentant de gravir les escaliers ou de l'apercevoir du haut des remparts. L'artiste
a figuré le cadre de la ville antique comme celui de la ville médiévale. La description
méticuleuse des costumes, le chatoiement des étoffes, l'armure brillante d'un soldat
annoncent sa spécialisation à venir dans les portraits de personnages connus et d'ac-
teurs, le plus souvent dans leurs rôles. Colin laissa le tableau à la Ville lorsqu'il rega-
gna Paris. Il fut présenté avec son pendant, *Les Bohémiens du Pont du Gard*, au musée
de la Maison Carrée, puis à l'Hôtel de Ville à partir de 1858.   A.J.

Lyssia - 1858 - MARBRE
H. 1,72 M. - DÉPÔT DE L'ÉTAT EN 1863 - IP 1210

Peintre et sculpteur, lauréat du Prix de Rome en 1852, Lepère s'est formé dans les ateliers de Dumont et Gleyre. Exposant régulièrement au Salon, il s'inscrit dans la génération des sculpteurs qui, à partir de 1850, cherchent à allier norme académique et expressivité, drame moderne et noblesse éternelle, fougue et style. Bien que l'inscription portée sur le socle désigne la figure sous le nom de *Lyssia,* sans doute faut-il voir en elle l'évocation de Nyssia, femme de Candaule, roi légendaire de Lydie, dont l'histoire, rapportée par Hérodote, inspira La Fontaine, puis Théophile Gautier. Le roi avait eu l'imprudence de montrer sa femme nue à son favori Gygès. Celui-ci, à l'instigation de la reine, qui vengeait ainsi sa pudeur outragée, l'assassina et lui succéda. Le thème avait été peu illustré avant que le sculpteur Pradier n'en livre une représentation magistrale au Salon de 1848. Alors que cette figure (Montpellier, musée Fabre) se tient debout dans sa chaste nudité, préoccupée par sa seule toilette, la statue de Lepère révèle, par la position déséquilibrée du corps, une certaine inquiétude liée au drame qui se noue. La jambe droite fléchie, le pied posé sur un petit tabouret à pattes de lion, la jeune femme tente de rattraper le tissu qui cache en partie le vase destiné à sa toilette, afin de draper son corps dénudé. Le visage levé, elle ramène sur sa poitrine la chevelure qui couvre une de ses épaules et cascade dans son dos. Exposée au Salon de 1858, l'œuvre, achetée par l'État, fut déposée au musée de Nîmes en 1863.   A.J.

Virgile, Horace et Varius chez Mécène - 1846 - HUILE SUR TOILE
2,30 x 2,90 M. - DÉPÔT DU MUSÉE DU LOUVRE EN 1895 - IP 0094

Formé à l'école de Dessin de sa ville natale, puis à Paris dans l'atelier de Delaroche, Jalabert prépare le concours du Prix de Rome en suivant des cours aux Beaux-Arts à partir de 1839. En 1843, ses échecs successifs l'incitent à partir à ses frais. Pendant trois ans dans la Ville éternelle, il s'inspire, encouragé par son maître Delaroche, d'un épisode de la vie littéraire du siècle d'Auguste : Virgile donne lecture des *Géorgiques* à son protecteur Mécène, devant Horace et Varius. La composition, commencée en 1844, est arrêtée en août 1846. Jalabert espérait la présenter au Salon de la même année, mais ne l'achèvera qu'en janvier suivant à Paris. L'œuvre se réfère à la composition d'*Ingres Virgile lisant l'Énéide devant Auguste, Octavie et Livie* (1812, Toulouse, musée des Augustins). Mais en dépit d'une même disposition des figures principales, Jalabert offre, au lieu d'un immobilisme tendu chez Ingres, une scène d'entente parfaite. Il s'agit d'une représentation idéale des rapports entre l'artiste et son mécène, question qui préoccupe la bohème des années 1840, comme le montre magistralement Courbet, avec *La Rencontre* de 1854 (Montpellier, musée Fabre). Elle peut être rapprochée, par son caractère familier, de celles peintes par le groupe des néo-grecs, privilégiant le détail intimiste, mais par son renvoi implicite à la grande peinture d'histoire, elle ne leur correspond pas complètement. Ceci explique sans doute son succès mitigé au Salon, où pourtant elle plut par la limpidité de la conception et une retenue dans l'action.   A.J.

Sous le Second Empire, le classicisme et l'antique n'apparaissent plus comme les seules sources vraies de la peinture : la peinture d'histoire est sur le déclin. Conformément à son tempérament sentimental, Jalabert se rallie au parti de Delaroche et s'attache à la représentation de périodes plus proches et plus familières, le Moyen Âge et la Renaissance. Il peint aussi de petits tableaux de genre inspirés de son séjour en Italie, qui lui assureront un véritable succès au Salon. La petite figure d'Italienne présentée sous le titre de *Maria Abruzzèze* date de 1863. Le précoce modèle du peintre, qui posait pour Hébert, Bonnat et Curzon, était une fillette du nom de Maria Pasqua, qui venait d'arriver à Paris. L'artiste devait réaliser deux tableaux, l'un destiné au musée de Nîmes, qui l'acheta en 1863, l'autre acquis par Adolphe Fould. Il s'est attaché à rendre la personnalité du modèle, perdant la grâce idéalisée de *La Villanella* peinte en 1847 à son retour de Rome, pour gagner en force et en mystère. L'aspect énigmatique, voire un peu maladif de la fillette l'apparente aux Italiennes d'Hébert, mais Jalabert, s'il se montre dans un léger sfumato, tenant à la main un morceau de pain, évite un misérabilisme excessif, pour offrir l'image mélancolique d'une enfant rêveuse. Encore sujet de genre, ce tableau, par l'intérêt principal accordé à la figure, fait la transition entre la peinture de genre de Jalabert, à qui Théophile Gautier reproche d'être "trop délicat, trop tendre, trop exquis, trop vaporeux", et les portraits auxquels l'artiste va se consacrer jusqu'à la fin de sa vie.   A.J.

La Poésie légère - 1846 - MARBRE AVEC REHAUTS D'OR ET DE POLYCHROMIE
H. 2,05 M. - DÉPÔT DE L'ÉTAT EN 1846 - IP 1222

D'origine languedocienne, Pradier est remarqué par Vivant Denon qui l'incite à se rendre à Paris. Le jeune homme y suit l'enseignement de Meynier et Gérard. Prix de Rome en 1813, il profite de son séjour italien pour copier les modèles antiques, dont il combine par la suite l'esthétique à une démarche très personnelle de sensualité. Ces caractéristiques assurent son succès au Salon à partir de 1819, et il sera sous la Monarchie de Juillet un des artistes les plus en vue, obtenant de nombreuses commandes officielles. Pradier aurait mis en chantier en 1844 le marbre de cette grande figure allégorique, qu'il souhaitait voir achetée par une municipalité du Sud de la France. Dès 1843, le cadre antique du musée de Nîmes, abrité par la Maison Carrée, lui paraît idéal pour accueillir une de ses œuvres. La *Phryné* qu'il propose en 1845 n'est pas retenue, et il relance les négociations pour *La Poésie légère*, qui aboutiront grâce à l'intervention de l'influent baron de Feuchères, bienfaiteur de la ville et candidat aux élections législatives dans le Gard. La décision gouvernementale intervient en juin 1846 et l'acquisition est décidée le 14 juillet, pour 12 000 F. Exposée au Salon en mai de la même année, *La Poésie légère* avait suscité nombre de commentaires, la plupart élogieux, en raison de ses qualités plastiques : finesse d'exécution, effets polychromes des bijoux, de la draperie, des fleurs qui couronnent le front de la figure, et petits détails naturalistes sur le sol. Certains s'interrogèrent cependant sur le sens de l'œuvre, et l'invention jugée "moderne" d'une poésie légère face à la représentation des poésies épique et lyrique. La pose audacieuse, l'étude expressive du mouvement, contrastant avec la réserve des modèles précédents, surprirent fortement les contemporains de l'artiste. Le corps dénudé, campé dans une position déséquilibrée que l'on a rapprochée de celle du ballet, "l'arrêt qui suit le tour du corps sur lui-même et se termine dans l'étirement de la pose, le bras droit levé", est enrobé dans un drapé dont les plis tournoyants accentuent l'illusion du déplacement dans l'espace. A.J.

Atalante – VERS 1847 - PLÂTRE
0,96 x 0,59 x 0,78 M. DÉPÔT DU MUSÉE DE PICARDIE, AMIENS, EN 1953 - IPD 5301

En 1847, Pradier entreprend la réalisation d'une nouvelle figure féminine, dont le musée détient une version en plâtre. Comme souvent, il choisit son sujet dans la mythologie grecque : Atalante, fille d'Iasos, roi d'Arcadie, a été abandonnée à la naissance par son père, qui ne voulait que des fils, et nourrie du lait d'une ourse par les chasseurs qui l'ont recueillie. Décidée à ne pas se marier, la jeune fille, qui passait pour la plus rapide des cavalières, provoquait ses prétendants à la course et les exécutait s'ils n'arrivaient pas à la vaincre. Hippomène, sur le conseil d'Aphrodite, laissa tomber trois pommes d'or pendant la course. Tandis qu'Atalante se penchait pour les ramasser, il put la dépasser et gagner sa main. Alors que les sculpteurs de l'âge classique s'étaient attachés à une mise en scène dramatique, Pradier montre la chasseresse dans une pose inspirée de la célèbre *Vénus accroupie* antique. Un genou au sol, Atalante semble rattacher une de ses sandales devant elle ont été placées les trois pommes, et au sol sa parure, collier et bracelet. La plupart ont vu dans cette représentation une scène de toilette, dont on ne sait si elle a lieu avant ou après la course, écartant ainsi le mythe pour n'y voir qu'une Parisienne sortant du bain et s'interrogeant sur l'intention de l'artiste. Le sculpteur exécuta en 1849 le marbre de l'*Atalante*, acheté par l'État pour le musée du Luxembourg, puis transporté au Louvre en 1854. Des exemplaires furent édités en plâtre et en terre cuite par les mouleurs-éditeurs Fontaine et Marchi, et en bronze par la maison Susse.   A.J.

L'Accident de charrette - 1862 - HUILE SUR TOILE
0,535 x 0,760 M. - ACQUIS EN 1989 - IP 1989-01

Acteur de théâtre talentueux, célébré par Charles Baudelaire dans *L'Art romantique* pour ses interprétations et portraituré par Édouard Manet (*L'Acteur tragique*, 1865, Washington, National Gallery), Philibert Rouvière était aussi peintre. Élève de Gros depuis 1827, il exécuta dans l'enthousiasme des Trois Glorieuses une patriotique *Scène des barricades, le 29 juillet, place du Palais royal* (Vizille, musée de la Révolution française, dépôt du musée des Beaux-Arts de Nîmes). Il continua à exposer régulièrement des œuvres moins ambitieuses au Salon jusqu'en 1837. Par la suite son goût pour le théâtre l'éloigna de la peinture qu'il n'abandonna cependant jamais tout à fait, puisqu'il exposa à nouveau au Salon au début des années 1860. *L'Accident de charrette*, peint à la fin de sa vie, est un témoignage émouvant de l'admiration que Rouvière portait à Géricault. Le sujet et la facture font en effet penser à des œuvres tardives de ce dernier, comme *Le Four à plâtre* du musée du Louvre. À ce propos, Baudelaire rapporte qu'un tableau aujourd'hui perdu de Rouvière, *Les Girondins en prison*, était proposé par un marchand sous le nom de Géricault. De fait, très influencé par une formation artistique reçue à la fin de la Restauration, Rouvière était un peintre romantique amateur égaré en plein cœur du Second Empire. A.C.

La Visitation - 1869 - HUILE SUR TOILE
2,65 x 1,77 M. - DÉPÔT DE L'ÉTAT EN 1869 - IP 64

Comme le remarque un chroniqueur du Salon de 1869, Doze a conçu son sujet d'une
manière conforme à la tradition et à l'Écriture. Sainte Élisabeth, assise sur le pas de
sa porte, s'est levée à la vue de la Vierge, laissant tomber sa quenouille de lin. Elle
baise le front de la jeune femme et la salue des mots inspirés par l'Esprit saint : "Vous
êtes bénie entre toutes les femmes, et le fruit de vos entrailles est béni". L'artiste joue
sur le contraste des deux figures se détachant sur le fond d'un arc ouvert vers le ciel.
Élisabeth y apparaît dans sa pleine maturité, les traits empreints d'une gravité serei-
ne, vêtue d'un costume aux drapés imposants. La Vierge, dans la jeunesse de sa beauté et sa grâce pleine d'abandon, se tient devant elle. Son manteau laisse voir le bas de
sa robe, un voile clair recouvre sa chevelure et elle baisse modestement un visage
baigné d'une ineffable douceur. La construction, servie par le détail de l'architecture
– dessin du carrelage au sol, angle de la marche au centre – s'équilibre rigoureuse-
ment. Seules les volutes d'une vigne et les jeunes pousses du feuillage confèrent une
note naturaliste à l'ensemble, dont le dessin correct et un peu sec est adouci par des
tonalités tamisées et harmonieuses. Le thème inspira plusieurs fois l'artiste, notamment dans un des premiers tableaux présentés, en 1852, à Nîmes, puis à l'Exposition
universelle de 1855 à Paris. Élève de Flandrin, qui décora l'église Saint-Paul à
Nîmes, Doze se spécialisa dans la peinture religieuse. Il fut directeur de l'école de
Dessin de la ville et conservateur du musée.   A.J.

Environs de Nîmes - 1869 - HUILE SUR TOILE
1,20 x 2,20 M. - DON DE MADAME GRAS EN 1891 - IP 0121

Exposé au Salon de 1869, ce panorama de la campagne au nord-est de Nîmes embrasse la colline de Montaury et le départ de la route d'Alès. La Tour Magne domine les carrières romaines de Canteduc, au sommet flotte un minuscule drapeau français. Le viaduc du chemin de fer d'Alès occupe le centre du paysage. Un chemin bordé de murets de pierres sèches serpente vers le "creux de l'assemblée" où se regroupaient clandestinement les protestants au XVIIIe siècle. Il resurgit à droite, vers un promontoire rocheux surmonté de quelques maisons, se poursuit vers la plaine et disparaît enfin derrière le viaduc. Élève à Paris de Despléchin, décorateur de l'Opéra, Lavastre s'était fait une spécialité de vues des environs de sa ville natale, exposées au Salon de 1869 à 1872. La conception de ce paysage méditerranéen reste classique. Une lumière diffuse et harmonieuse éclaire les collines, sous un ciel presque azuréen, et tempère l'austérité de la barrière végétale au premier plan : une pente aride et rocailleuse, des cyprès sombres, un enchevêtrement protecteur de chênes verts, caractéristiques de l'âpreté de la garrigue nîmoise. Si le contraste entre les zones d'ombre et de clarté peut faire penser aux recherches du montpelliérain Bazille, la facture minutieuse du tableau, sa perspective traditionnelle l'éloignent des innovations impressionnistes, comme de celles de peintres provençaux, tels Guigou et Monticelli.   A.J.

Portrait de militaire - FIN DU XIXᵉ SIÈCLE - HUILE SUR BOIS
1,30 x 0,69 M. - ACQUIS EN 1977 - IP 97761

Originaire d'Uzès comme Sigalon, Roybet débute au Salon de 1866 avec *Un fou sous
Henri III*, acquis par la princesse Mathilde, dont le succès l'oriente vers les tableaux
à costumes qui seront sa spécialité. Acquis en 1977, ce portrait de militaire, à moins
qu'il ne s'agisse d'un personnage de théâtre, illustre son indiscutable virtuosité à
peindre mousquetaires, seigneurs et reîtres comme scènes de genre inspirées de la
peinture hollandaise du XVIIᵉ siècle. L'allure fière, le regard pensif, l'homme pose
vêtu d'un costume noir et coiffé d'un bonnet qui, enfoncé sur le crâne, laisse échapper quelques mèches sombres. Il tient d'une main le pommeau d'une épée dont la
lame se dissimule en partie dans les plis du vêtement. La figure longiligne se détache
d'un fond prestement brossé par de larges coups de pinceau en diagonale. Quelques
traits parallèles ébauchent sur la gauche l'amorce d'une architecture. Le visage aux
traits fins se dégage d'un grand col de dentelle, le rendu en est très réaliste. Des
ombres grises, presque noires par endroits, sculptent les pommettes hautes et
saillantes, l'arête vive du nez, le bouc mince et le menton carré. De petites touches
beige et carmin éclairent cette physionomie sérieuse. Roybet, célèbre pour ses
talents de coloriste, a réduit sa palette pour une œuvre quasi monochrome : seules
les taches claires du poignet de dentelle, les crevés de la large manche et le col cas-
sent la sévérité des bruns et noirs profonds, ou grisés, du vêtement. A.J.

Portrait du grand maître de la Rose + Croix en habit de chœur
(PORTRAIT DE JOSÉPHIN PÉLADAN) - 1895 - HUILE SUR TOILE - 2,42 x 1,12 M. - IP 507

Principale figure du symbolisme belge, avec Fernand Khnopff et Félicien Rops, Jean
Delville expose pour la première fois en 1885 à Bruxelles avec le groupe L'Essor. Il
fonde ensuite le Salon d'Art idéaliste, manifestation inspirée des théories de Péladan,
dont la rencontre est pour lui capitale. Enthousiasmé par les idées du Sâr, auquel il
va vouer une véritable vénération, il participe régulièrement aux Salons de la Rose +
Croix. Très attiré par les recherches concernant l'occultisme, l'idéalisme et l'ésoté-
risme, il se sent investi d'une mission et veut redonner au monde la conscience du
mystère à travers l'étude notamment de la kabbale, pour combattre le scepticisme
régnant. Écrivain et dramaturge, Joséphin Péladan est l'un des fondateurs du Salon
de la Rose + Croix. Convaincu d'être le descendant d'un Sâr babylonien, il s'octroie
ce titre et instaure un rituel théâtral inspiré du *Parsifal* de Richard Wagner et com-
portant des habits semblables. Delville dépeint Péladan à la manière d'une icône, tel
un mage. Il met en valeur les attributs (trône, encens, parchemin en or) témoignant
de sa prédestination et de sa fonction sacrée. Cette œuvre était destinée à orner la
salle capitulaire de l'ordre.   G.T.

INDEX DES ARTISTES

Édition
Dominique Royer, antenne éditoriale, Rmn, Lyon

Conception graphique
Franco Di Sangro, Annie Duyck
Basic Color, Nîmes

photogravure et impression
Basic Color, Nîmes

Façonnage
GBR, Chevilly-Larue

Dépôt légal novembre 2000
ISBN 2 7118 4096 4
GK 39 4096